OS JUDEUS E AS PALAVRAS

Obras do autor publicadas pela Companhia das Letras

A caixa preta
Cenas da vida na aldeia
Como curar um fanático
Uma certa paz
Conhecer uma mulher
De amor e trevas
De repente nas profundezas do bosque
Do que é feita a maçã (com Shira Hadad)
Entre amigos
Fima
Judas
Os judeus e as palavras (com Fania Oz-Salzberger)
Mais de uma luz
O mesmo mar
Meu Michel
O monte do mau conselho
Não diga noite
Pantera no porão
Rimas da vida e da morte
Sumchi

AMÓS OZ

FANIA OZ-SALZBERGER

Os judeus e as palavras

Tradução
George Schlesinger

5ª *reimpressão*

COMPANHIA DAS LETRAS

Copyright © 2012 by Amós Oz e Fania Oz-Salzberger
Copyright glossário © Jüdischer Verlag Berlin 2013

Grafia atualizada segundo o Acordo Ortográfico da Língua Portuguesa de 1990, que entrou em vigor no Brasil em 2009.

Título original
Jews and Words

Capa
Sonia Shannon

Foto de capa
Julie Fischer/ Getty Images

Preparação
Ana Cecília Agua de Melo

Índice onomástico
Luciano Marchiori

Revisão
Angela das Neves
Márcia Moura

Dados Internacionais de Catalogação na Publicação (CIP)
(Câmara Brasileira do Livro, SP, Brasil)

Oz, Amós
  Os judeus e as palavras / Amós Oz, Fania Oz-Salzberger; tradução George Schlesinger. — 1ª ed. — São Paulo : Companhia das Letras, 2015.

  Título original: Jews and Words.
  ISBN 978-85-359-2523-4

  1. Bíblia A.T. — Crítica e interpretação 2. Judaísmo — História 3. Judeus — História 4. Judeus — Vida intelectual 5. Literatura hebraica — História e crítica I. Oz- Salzberger, Fania. II. Título.

14-12696   CDD-305.8924

Índice para catálogo sistemático:
1. Identidade judaica : Sociologia   305.8924

Todos os direitos desta edição reservados à
EDITORA SCHWARCZ S.A.
Rua Bandeira Paulista, 702, cj. 32
04532-002 — São Paulo — SP
Telefone: (11) 3707-3500
www.companhiadasletras.com.br
www.blogdacompanhia.com.br
facebook.com/companhiadasletras
instagram.com/companhiadasletras
twitter.com/cialetras

Que estranho
Da parte de Deus
Escolher
Os judeus
William Norman Ewer

Nao tão estranho: os judeus escolheram Deus
Anônimo

Os judeus escolheram Deus e pegaram sua lei
Ou inventaram Deus, então legislaram.
O que veio antes talvez não saibamos
Mas eras se passaram, e nisto ainda estão:
Empenhando raciocínio, não reverência,
E nada deixando sem debater.

Sumário

Prefácio.. 9
Agradecimentos...................................... 11

1. Continuidade..................................... 15
2. Mulheres vocais................................... 71
3. Tempo e atemporalidade........................... 118
4. Cada pessoa tem um nome; ou os judeus precisam do judaísmo?.. 160

Epílogo... 201
Fontes... 217
Glossário... 233
Índice onomástico................................... 245

Prefácio

Este livro é um ensaio. É uma obra de não ficção, uma tentativa especulativa, crua e às vezes brincalhona de dizer algo um pouco novo sobre um tópico de imenso pedigree. Nós lhe oferecemos o nosso enfoque pessoal sobre um aspecto essencial da história judaica: a relação dos judeus com as palavras.

Os autores são pai e filha. Um é escritor e erudito literário, a outra é historiadora. Discutimos e debatemos tópicos relevantes a este livro desde que um de nós tinha três anos de idade. Não obstante, nossa coautoria exige alguma justificativa.

A melhor maneira de explicar a nossa parceria é explicitar de antemão o que este ensaio diz. Diz que a história e a condição de povo dos judeus formam um continuum único, que não é étnico nem político. Que fique claro, a nossa história inclui linhagens étnicas e políticas, mas não são estas suas principais artérias. Em vez disso, a genealogia nacional e cultural dos judeus sempre dependeu da transmissão intergeracional de conteúdo verbal. Trata--se da fé, é claro, mas ainda mais efetivamente trata-se de textos. Significativamente, os textos estão há muito disponíveis por escrito. E, efetivamente, a controvérsia esteve neles embutida desde o instante inicial. Na sua melhor forma, a reverência judaica tem um lado irreverente. Na sua melhor forma, a autoimportância judaica é tingida pelo autoexame, às vezes mordaz, às vezes hilário. Enquanto a erudição importa tremendamente, a família importa ainda mais. Estes dois esteios tendem a se sobrepor. Pais, mães, professores. Filhos, filhas, alunos. Texto, questão, debate. Não sabemos quanto a Deus, mas a continuidade judaica sempre foi pavimentada com palavras.

Por essa razão, nossa história é magnífica como história. De fato, diversas histórias e numerosos contos estão entrelaçados nos anais dos judeus. Muitos eruditos e escritores ousaram desafiar este labirinto. Aqui oferecemos uma caminhada conjunta através de alguns de seus trajetos, enlaçando os olhares de romancista e de historiadora, adicionando nossa própria interlocução à miríade de vozes conversando dentro dele.

Neste pequeno volume não foi feita nenhuma tentativa de abranger toda a gama das obras judaicas, nem mesmo as mais conhecidas ou mais influentes. Há numerosos textos que não lemos. O gênero ensaístico pode fornecer discussões densas e panorâmicas de vastos tópicos, mas é também propenso a leitura seletiva, viés pessoal e arrogantes pretensões à generalização. Independentemente de tais defeitos genéricos, assumimos total responsabilidade por cada uma dessas deficiências, e por muitas outras que o leitor venha a encontrar. Eis outra coisa que o nosso livro tenta explicitar: na tradição judaica todo leitor é um revisor de originais, todo aluno um crítico, e todo escritor, inclusive o Autor do universo, incorre em grande número de questões.

Se este conjunto de sugestões for persuasivo, então nosso projeto conjunto pai-e-filha poderá fazer sentido.

Agradecimentos

Naturalmente, a sabedoria e o conselho de muitas pessoas fluíram para dentro deste pequeno livro, bem como excelentes críticas. Nossos primeiros e primordiais agradecimentos vão para a nossa família: Nily Oz, Eli Salzberger e Galia Oz deram a estes originais uma leitura aguçada e perspicazes comentários; Daniel Oz, Dean Salzberger e Naday Salzberger participaram em muitas conversas significativas, acaloradas e profundamente prazerosas.

Feliz Posen veio com a própria ideia deste projeto, e tanto ele como seu filho Daniel ofereceram infalível amizade, dedicação e bons incentivos. Pode não parecer típico de dois falantes nativos de hebraico como nós engajar-se com seus próprios legados culturais em inglês, mas sentimos que este livro se encaixa firme e intimamente na Biblioteca Posen de Cultura e Civilização Judaicas. Muitos eruditos têm suas obras nos dez volumes da Biblioteca, e seu trabalho inspirou o nosso. Compartilhamos da visão ampla da Biblioteca, que de forma nenhuma é uma agenda estreita, da história judaica como um complexo e multifacetado tesouro de vozes humanas entrecortadas por continuidades significativas. A riqueza da diversidade cultural não exclui a presença de princípios unificadores. A religião é apenas um deles.

Vários colegas e amigos foram suficientemente gentis para ler e criticar os originais. Eles nos salvaram de enganos factuais, erros de julgamento e contratempos similares; os que ainda permanecem no livro devem-se somente a nós. Agradecimentos de coração a Yehuda Bauer, Menachem Brinker, Rachel Elior, Yosef Kaplan, Deborah Owen, Adina Stern e a um leitor anônimo para a Yale University Press.

Outras dívidas intelectuais, geralmente na forma de inesquecíveis trocas ou palestras ouvidas ao longo dos anos, são reconhecidas com gratidão. Algumas das seguintes pessoas talvez não saibam ter inspirado este livro, mas de fato inspiraram: Shlomo Avineri, Haim Be'er, Susannah Heschel, Ora Limor, Anita Shapira, Daniel Statman, Yedidia Stern, Michael Walzer e A. B. Yehoshua. Vários editores de volumes na biblioteca Posen nos enviaram materiais relevantes, e mais uma vez somos gratos a Ora Limor e Yosef Kaplan, junto com David Roskies e Elisheva Carlebach.

A maior parte deste livro foi escrita durante o período de dupla atuação de Fania Oz-Salzberger na Universidade de Haifa e no Centro Australiano de Civilização Judaica da Monash University, cátedra Leon Liberman em Estudos de Israel Moderno. Calorosos agradecimentos vão para os amigos australianos Lee Liberman, Les Reti e Ricci Swart. É igualmente um prazer agradecer aos colegas, equipe e estudantes do Centro Universitário de Valores Humanos, Universidade de Princeton, por um agitado ano de aventura intelectual em 2009-10.

Sarah Miller e Dan Heaton da Yale University Press deram a este livro sua sutil e perceptiva atenção editorial, pela qual somos particularmente gratos. Joyce Rappaport e Yael Nakhon-Harel da Fundação Posen gentilmente forneceram apoio editorial adicional. Tammy Reznik manteve o forte na Monash University. Na

Universidade de Haifa, Ela Bauer, Lee Maanit, Boaz Gur e Alon Kol foram de grande auxílio durante várias etapas de pesquisa e redação. O apoio administrativo de Kalanit Kleemer foi inestimável.

Livros consultados durante o processo aparecem em nossas listas de fontes, que também fornecem todas as referências para nossas citações. No entanto, um punhado de sites na internet merece menção especial. <Mechon-mamre.org> nos proporcionou uma útil Bíblia bilíngue. Algumas das versões em inglês do Talmude babilônico originam-se na edição Soncino traduzida por L. Miller e editada pelo rabino dr. Isidore Epstein, disponível on-line em <www.come-and-hear.com/talmud/>, frequentemente retocado por nós, enquanto outras citações talmúdicas são recém-traduzidas pelos presentes autores. Tiramos proveito do excelente *ma'agar sifrut ha-kodesh*, o mecanismo de busca on-line das Escrituras no site *Snunit* da Universidade Hebraica, <kodesh.snunit.k12.il>. De valor semelhante é o website do Center of Educational Technology [Centro de Tecnologia Educacional] (CET) em <cet.org.il>, patrocinado pela Fundação Rothschild. Útil é também o Projeto Ben-Yehuda em <benyehuda.org>, uma coleção de e-books dirigida por voluntários contendo literatura hebraica de domínio público. A web, como a historiadora entre nós insiste em tentar persuadir o romancista entre nós, é uma rebuscada biblioteca de letras, um mamute labiríntico de significados e, portanto, um espaço muito talmúdico.

1. Continuidade

> *Em dois e trinta extremamente ocultos e magníficos caminhos de sabedoria o Senhor das Multidões entalhou seu nome: Senhor dos exércitos de Israel, Deus sempre vivo, misericordioso e gracioso, sublime, que mora nas alturas, que habita a eternidade. Ele criou este universo pelos três Sefarim — Número, Texto e Narrativa. Dez são os números, como o são as Sefirot, e vinte e duas as letras, estas são as Fundações de todas as coisas.*

A continuidade judaica sempre se articulou em palavras proferidas ou escritas, num sempre expansível labirinto de interpretações, debates e discordâncias, e numa interação humana única. Na sinagoga, na escola e, acima de tudo, em casa, esta interação sempre envolveu duas ou três gerações em conversas profundas.

A nossa não é uma linhagem de sangue mas uma linhagem de texto. Há um sentido tangível no qual Abraão e Sara, Raban Yohanan, Glikl de Hamelin e os presentes autores pertencem todos à mesma árvore familiar. Tal continuidade tem sido recentemente questionada: não houve coisa nenhuma de "nação judaica", nos dizem, antes de os ideólogos modernos a conceberem. Bem, nós discordamos. Não porque sejamos nacionalistas. Um dos propósitos deste livro é reclamar nossa ancestralidade, mas outro é explicar que tipo de ancestralidade, na nossa opinião, é digno do esforço de ser reclamado.

Não estamos falando de pedras, clãs ou cromossomos. Não é preciso ser arqueólogo, antropólogo ou geneticista para traçar e substanciar um continuum judaico. Não é preciso ser um judeu praticante. Não é preciso ser judeu. Ou, quanto a isso, ser antissemita. Basta ser um leitor.

Em seu maravilhoso poema "Os judeus", o falecido poeta israelense Yehuda Amichai escreveu:

> *Os judeus não são um povo histórico*
> *Nem sequer um povo arqueológico, os judeus*
> *São um povo geológico com fissuras*
> *E desabamentos e estratos e lava incandescente.*
> *Seus anais devem ser medidos*
> *Numa diferente escala de medida.*

Um povo geológico: esta metáfora especial pode conter uma verdade profunda acerca de outras nações, também. Não precisa ser apenas sobre os judeus. Mas tem uma poderosa ressonância para nós quando refletimos sobre a continuidade judaica como basicamente textual. A nacionalidade judaica "histórica", étnica, genética é um relato de fratura e calamidade. É uma paisagem de desastre geológico. Podemos alegar um pedigree biológico datando, digamos, dos judeus da Galileia da era romana? Nós duvidamos. Tanto sangue, tanto de conversos como de inimigos, de emblemáticos khazares e cossacos, pode estar correndo em nossas veias. Em contrapartida, geneticistas de hoje parecem nos dizer que alguns de nossos genes têm nos acompanhado por algum tempo.

Isso é interessante. Mas sem o menor interesse para o nosso ponto.

Existe uma linhagem. Nossos anais *podem* ser aferidos, nossa história contada. Mas nossa "diferente escala de medida" é feita de palavras. É disto que trata este livro.

Nesta fase inicial devemos dizer em alto e bom som que tipo de judeus somos nós. Somos ambos israelenses judeus seculares. Esta autodefinição carrega diversos significados. Primeiro, não acreditamos em Deus. Segundo, hebraico é a nossa língua-mãe. Terceiro, nossa identidade judaica não é movida pela religião. Temos lido textos judaicos hebraicos e não hebraicos durante toda nossa vida; eles são os nossos portões culturais e intelectuais para o mundo. Todavia, não há um único osso religioso em nossos corpos. Quarto, vivemos atualmente num clima cultural — na parte moderna e secular da sociedade israelense — que cada vez mais identifica citação bíblica, referência talmúdica e até mesmo um mero interesse no passado judaico como inclinação de coloração política, na melhor das hipóteses atávico, na pior, nacionalista e triunfalista. Este atual retraimento liberal da maioria das coisas judaicas tem muitas razões, algumas delas compreensíveis; mas é mal dirigido.

O que significa o secularismo para os judeus israelenses? Evidentemente mais do que significa para outros não crentes modernos. Desde os pensadores da Haskalá do século XIX até os autores hebraicos de hoje, a secularidade judaica vem recheando uma quantidade crescente de prateleiras e um espaço cada vez maior para o pensamento criativo. Eis aqui apenas uma casca de noz, de um ensaio intitulado "A coragem de ser secular", de Yizhar

Smilansky, o grande escritor israelense que assinava seus livros com o pseudônimo de Samech Yizhar:

> Secularismo não é permissividade, tampouco caos desregrado. Ele não rejeita a tradição, e não vira as costas para a cultura, seus impactos e seus sucessos. Tais acusações são pouco mais que demagogia barata. Secularismo é uma compreensão diferente do homem e do mundo, uma compreensão não religiosa. O homem pode muito bem sentir a necessidade, vez ou outra, de buscar Deus. A natureza dessa busca não tem importância. Não existem respostas imediatas, nem indulgências imediatas, pré-embaladas e prontas para uso. E as próprias respostas são armadilhas: abdique da sua liberdade para ganhar tranquilidade. O nome de Deus é tranquilidade. Mas a tranquilidade se dissipará e a liberdade estará desperdiçada. Então, o quê?

Seculares autoconscientes não buscam tranquilidade, mas inquietude intelectual, e adoram perguntas mais do que respostas. Para judeus seculares como nós, a Bíblia hebraica é uma magnífica criação humana. Unicamente humana. Nós a amamos e a questionamos.

Alguns arqueólogos modernos nos dizem que o reino israelita das Escrituras foi um gnomo insignificante em termos de cultura material. Por exemplo, o retrato bíblico dos grandes edifícios de Salomão é uma fabricação política posterior. Outros estudiosos lançam dúvida sobre toda forma de continuidade entre os antigos hebreus e os judeus de hoje. Talvez seja isto que Amichai desejara dizer quando afirmou que não somos "nem sequer um povo arqueológico". Mas cada uma dessas abordagens acadêmicas, factualmente certa ou errada, é simplesmente irrelevante para leitores como nós. Nosso tipo de Bíblia não requer nem origem divina nem prova material, e a nossa reivindicação dela nada tem a ver com os nossos cromossomos.

O *Tanach*, a Bíblia no original hebraico, é empolgante.
Nós a "compreendemos" até a última sílaba? Obviamente não. Mesmo aqueles que falam o hebraico moderno com proficiência provavelmente interpretam mal muitas palavras bíblicas, pois o sentido delas difere bastante daquilo que significavam no hebraico antigo. Tomemos esta belíssima imagem de Salmos 104,17: "Ali os pássaros se aninham, *hassida broshim beiyta*". Para o ouvido de um israelense de hoje, estas três palavras significam "a cegonha faz sua morada nos ciprestes". Faz-nos refletir, aliás, na cativante frugalidade do hebraico antigo, que muitas vezes consegue uma expressão de três palavras que requer o triplo desse número em tradução inglesa.* E como cada uma dessas três palavras é colorida e saborosa, três substantivos, transbordando de significado! Em todo caso, voltemos ao nosso ponto principal. Veja, atualmente em Israel as cegonhas não fazem suas moradas em ciprestes. De qualquer modo, cegonhas muito raramente fazem ninhos por aqui, e quando baixam ao solo aos milhares para uma noite de repouso a caminho da Europa ou da África, os ciprestes em forma de agulha não são a sua escolha óbvia.

Então devemos estar entendendo errado; ou a *hassida* não é uma cegonha, ou o *brosh* não é um cipreste. Não importa. A frase é adorável, e sabemos que se refere a uma árvore e um pássaro, parte de um grande louvor à criação de Deus — se preferirem, à beleza da natureza. O salmo 104 dá ao leitor em hebraico a imagem ampla, o denso e afinado deleite que poderia ser comparado à magia de um poema de Walt Whitman. Não sabemos se o mesmo ocorre numa tradução.

* E mais palavras ainda em português. (N. T.)

A Bíblia, portanto, vai além do seu status de texto sagrado. Seu esplendor como literatura transcende tanto a dissecção científica como a leitura devocional. Ela comove e empolga de maneiras comparáveis às grandes obras literárias, às vezes Homero, às vezes Shakespeare, às vezes Dostoiévski. Mas sua influência histórica é diferente da influência dessas outras obras. Admitindo que outros grandes poemas podem ter inaugurado religiões, nenhuma outra obra de literatura gravou de forma tão efetiva um código legal, apresentou de forma tão convincente uma ética social.

E é também, obviamente, um livro que deu origem a inúmeros outros livros. Como se a própria Bíblia desse ouvidos e atentasse para o mandamento que atribui a Deus, "ide e multiplicai-vos". Assim, mesmo que cientistas e críticos estejam certos, e a antiga Israel não tenha erigido palácios nem testemunhado milagres, sua produção literária é ao mesmo tempo palaciana e milagrosa. Referimo-nos a isto num sentido absolutamente secular.

Mas cuidemos de manter o equilíbrio. Temos muitas coisas deliciosas a dizer sobre as especificidades judaicas, mas este livro enfaticamente não pretende ser uma celebração de separatismo ou superioridade. A cultura judaica nunca foi impenetrável para a inspiração não judaica. Mesmo quando reprimiu tendências estrangeiras, muitas vezes as endossou silenciosamente. Para nós, Tolstói é um pilar tão gigantesco quanto Agnon, e Bashevis Singer não cala Thomas Mann. Há muita coisa que estimamos na literatura "gentia" e um bocado que não nos agrada nas tradições judaicas. Muitas das Escrituras, inclusive a Bíblia com toda sua eloquência, ostentam opiniões que não podemos aprofundar e regras que não podemos obedecer. Todos os nossos livros são falíveis.

O modelo judaico de conversas intergeracionais merece atenção detalhada.

Os textos hebraicos antigos estão continuamente engajados com dois pares fundamentais: pais e filhos, professores e alunos. Estes pares são indiscutivelmente mais importantes, até mesmo mais importantes, que mulher e homem. A palavra *dór*, geração, aparece dezenas de vezes tanto na Bíblia como no Talmude. Ambas as obras adoram enumerar cadeias de gerações, com origem no passado distante e apontando para o futuro longínquo. Um bocado é dito sobre o elo mais básico da cadeia, o Pai e o Filho. (Por favor, tenham paciência em relação a mães e filhas; elas também habitam este livro.) De Adão e Noé até a destruição dos reinos de Judá e Israel, a Bíblia fecha e abre o foco sobre pais e filhos específicos, a maioria deles pertencente a genealogias meticulosamente listadas.

Este não é, de maneira alguma, um caso único. Muitas culturas, provavelmente todas as culturas, possuem paradigmas patro-filiais nas raízes de sua memória coletiva, mitologia, éthos e arte. Existe um contexto universal para os numerosos dramas bíblicos de pais e filhos. São os perenes contos de amor e ódio, lealdade e traição, semelhança e diferença, herança e deserção. Quase todas as sociedades abraçam o imperativo da narrativa intergeracional. Quase todas as culturas têm glorificado a passagem da tocha do velho para o jovem. Este tem sido sempre um dever primário da memória humana — familiar, tribal e, mais tarde, nacional.

Mas há um desvio judaico para este imperativo universal. "Nenhuma civilização antiga", escreve Mordecai Kaplan, "pode oferecer um paralelo comparável em intensidade com a insistência do judaísmo em ensinar os jovens e inculcar neles as tradições e costumes de seu povo". Será esta generalização justa com outras civilizações antigas? Não pretendemos saber nem julgar. Mas sabemos sim que meninos judeus, de modo nenhum apenas os ricos e privilegiados, eram colocados em contato com a palavra escrita numa idade incrivelmente tenra.

Eis aqui uma espantosa constante da história judaica desde (pelo menos) os tempos da Mishná: esperava-se que todo garoto fosse à escola dos três anos de idade até os treze. Esta obrigação era imposta a crianças do sexo masculino e seus pais e mães, administrada e frequentemente subsidiada pela comunidade. Na escola, muitas vezes um local de uma sala, com um único professor e alunos de múltiplas idades, os meninos estudavam hebraico — não sua língua materna, e não uma língua viva mesmo em tempos talmúdicos — num nível suficiente para ler e escrever. Este estudo de dez anos era incondicional, independente de classe social, pedigree e recursos financeiros. Alguns garotos seguramente saíam da escola antes de chegar a ser Bar mitsvá, mas poucos permaneciam iletrados.

O segredo era ensinar-lhes muita coisa nos primeiros anos, e sabiamente empanturrá-los de doces para mastigar com o primeiro alfabeto. Onde outras culturas deixavam os garotos aos cuidados da mãe até serem velhos o suficiente para puxar o arado ou manejar a espada, os judeus começavam a aculturar suas crianças à narrativa antiga tão logo os pequenos começassem a compreender palavras, aos dois anos, e lê-las, muitas vezes já na precoce idade de três anos. A escolaridade, em suma, começava logo depois de desmamar.

O desvio judaico também se incluía no recipiente em que a narrativa antiga era servida aos rebentos. Cedo na nossa história começamos a depender de textos escritos. A grande história e os imperativos nela embutidos passavam de geração em geração em tabletes, papiros, pergaminhos e papel. Hoje, ao escrevermos este livro, a historiadora entre nós verifica todas as nossas referências em seu iPad, e não consegue resistir à doce reflexão de que a textualidade judaica, na verdade toda a textualidade, fechou o ciclo completo. Do tablete ao tablet, do rolo ao rolar.*

---

* *"From tablet to tablet, from scroll to scroll"*. O jogo de palavras em inglês é óbvio, e dispensa explicação. (N. T.)

* * *

Isto nos conduz ao nosso segundo par, professor e aluno. Todas as culturas livrescas estão propensas a gerá-lo.

Quem foram nossos primeiros Professor e Aluno? A tradição judaica posiciona Moisés como mestre de todos os mestres; mas nem Aarão nem Josué, mais tarde rotulados de alunos de Moisés, comportam-se como alunos. E tampouco se tornam grandes professores. Portanto, especificamos o mais antigo par professor-aluno como Eli, o sacerdote, e seu aluno Samuel, o profeta. Note-se que os dois filhos biológicos de Eli voltaram-se para o mal, ao passo que seu filho espiritual saiu-se extremamente bem. Aí reside uma verdade mordaz: filhos podem se tornar uma grande decepção, mas um bom aluno raramente nos desapontará.

Professor e aluno, rabi e *talmid*, são o esteio da literatura judaica pós-bíblica até os tempos modernos. Era uma relação eletiva — "arranje um rabi para si", a Mishná instrui significativamente — e assim é diferente do par biológico pai-e-filho sob alguns aspectos, embora semelhante em outros. Os rabis eram quase invariavelmente venerados, é claro, mas os alunos com frequência também eram respeitados. No Talmude, uma opinião inteligente de um jovem às vezes prevalecia sobre a de seu mestre. Famosos pares rabi-*talmid*, tais como Hillel e Yochanan ben Zakai, ou Akiva e Meir, demonstram uma verdade profunda desta relação: amor e admiração entrelaçados com disputa, e é assim que deve ser. Discordância, dentro dos limites da razão, é o nome do jogo. Um bom aluno é aquele que judiciosamente critica seu mestre, oferecendo uma interpretação nova e melhor.

Rabi e aluno tipicamente não eram um par isolado. Espera-se que alunos se tornem professores, formando sequências de eruditos ao longo de muitas gerações. O *locus classicus* mishnaico é este: "E Moisés recebeu a Torá do Sinai, e a passou a Josué, e Josué aos anciãos, e os anciãos aos profetas, e os profetas a passaram aos homens da Grande Assembleia".

Esta cadeia, conta-nos Rachel Elior, faz injustiça aos sacerdotes e levitas de Israel. Foram eles os primeiros escribas e professores da Torá. Uma fissura geológica ocorreu entre sua longa tradição e os sábios do Segundo Templo, que selaram o cânone escrito e proibiram acréscimos posteriores às escrituras, ao mesmo tempo em que pavimentaram uma nova via elevada para a Torá oral. Este termo abrange as numerosas discussões rabínicas que acabaram por constituir a Mishná e o Talmude. Supostamente teriam se iniciado logo depois que a Torá escrita foi dada no Monte Sinai, mas sua prática e documentação provavelmente se seguiram ao momento em que a Bíblia foi selada. Desenvolveu-se então um novo modelo conversacional, com livres discussões, interpretações e aventuras eruditas a se acumularem sobre os livros canonizados. Com o passar dos séculos, também essas trocas de ideias foram postas em pergaminho.

Durante a tempestuosa época do Segundo Templo, surgiu um campo de tensão entre os sacerdotes apegados ao texto e os sábios criativos e questionadores. Os sábios, diz Elior, formavam uma verdadeira democracia de debate e interpretação: uma democracia totalmente masculina, é verdade, presa à hierarquia do brilhantismo intelectual, mas aberta a todo homem judeu com inclinação cerebral, independente de nascimento ou status.

Note-se a dinâmica inusitada: não uma simples linhagem oral-para-escrita, mas um saber falado ou cantado transformado muito cedo em textos escritos, que foram substancialmente expandidos, editados e finalmente santificados, ato que abriu uma nova era de conversação criativa, finalmente registrada em livros. A cultura judaica tornou-se altamente adepta tanto do estudo falado como do escrito. Mas a tensão embutida entre o inovador e o sacrossanto — atravessando igualmente o oral e o escrito — sobrevive até hoje.

E assim foi, os sábios da Mishná, os *tanaim*, passam a tocha adiante para os *amoraim* do Talmude, os *savoraim* pós-talmúdicos, os *gueonim* que floresceram por volta de 700 EC, os *rishonim* do fim da era medieval, até os *achronim* do início da era moderna. Este último termo significa "os últimos", e no começo da era moderna a ortodoxia judaica de fato congelou em seus caminhos intelectuais, incapaz de renovar a própria casa. Mas a não ortodoxia judaica manteve a tradição à sua própria maneira, manobrando seus variegados cursos entre Moisés e a modernidade. Reunido neste moderno fio da erudição judaica, interagindo aberta e prazerosamente com o mundo não judaico, repleto de atritos, de mentalidade plural, este moderno continuum incorpora Mendelssohn (o terceiro grande Moisés, depois do profeta e Maimônides), Asher Ginzberg (mais conhecido com Ahad Ha'am), Gershom Scholem, Franz Rosenzweig, Martin Buber, Emmanuel Levinas, Mordecai Kaplan, Abraham Joshua Heschel e Yeshayahu Leibowitz. Todos estes pensadores ainda pertencem, por sua própria luz, à grande corrente da erudição judaica, iniciada mítica e textualmente no Monte Sinai por Moisés, o primeiro mestre.

Mais ao longe, sem fazer parte da corrente autoprofessada, mas com algum rabi erudito, ou mãe culta, ou cântico de sinagoga ainda tremulando em seu horizonte biográfico, encontram-se Heine e Freud, Marx e os irmãos Marx, Einstein e Arendt, Hermann Cohen e Derrida. Estamos listando-os aqui não só por terem sido judeus — não estamos no negócio de fazer inventários — mas porque é evidente que estes pensadores e artistas tinham gravado algo íntima e textualmente judaico.

Há um terceiro grupo. Os modernos judeus "desacorrentados" têm uma ancestralidade de indivíduos que optaram por se desligar da sequência ortodoxa da erudição rabínica, mas não sem que antes esta tivesse deixado alguma marca neles; Jesus, Josefo,

Spinoza. Como nos dois grupos anteriores, há muitos, muitos outros.

Se a erudição histórica tem algo a dizer sobre o assunto, então é claro que o relato mishnaico de uma corrente antiga de sabedoria rabínica é falho e cheio de furos. Muita coisa está envolta no mito. Não sabemos se Moisés algum dia existiu, e Josué, conforme insinuamos, não nos parece um grande sábio da Torá, estando mais para um senhor da guerra regional. E quem foram exatamente os Anciãos? O que sabemos nós sobre a Grande Assembleia? O que aconteceu na fase inicial do exílio babilônico?

Não sabemos, e o conhecimento em que confiamos não provê respostas, mas sabemos sim que, antes do primeiro milênio AEC, israelitas falando hebraico já tinham um conceito de pertencimento ao povo centrado na memória textual. Era a *Brit*, parcialmente traduzível como "aliança", denotando sua fidelidade a Deus desde Abraão, e à Torá oral e escrita desde Moisés. A *Brit* de Abraham era familiar; Moisés já foi pastor de um povo, em hebraico *Am*, que se via como descendente dos doze filhos de Jacó, renomeado Israel. Daí Filhos de Israel. Teriam sido Abraão e Moisés meros mitos? Talvez. Mas existe uma cadeia conceitual e textual desde que os primeiros israelitas começaram a usar o termo *Brit*. E, em algum ponto, não depois do terceiro século AEC, uma tradição escrita constante estabilizou-se, para jamais ser extinta.

Desde pelo menos o terceiro século AEC, portanto, enquanto os judeus percorriam a agonizante trilha de "um povo geológico com fissuras/ E desabamentos e estratos e lava incandescente", sua memória textual cessou de ser geológica; deixou de avançar em saltos e restrições, envolta em mito e adivinhação. Teve início uma biblioteca. Que cresceu. E hoje a temos em nossas prateleiras e nos nossos laptops.

Os *tanaim* começaram como "pares", cinco gerações de líderes do Sinédrio, dois em cada geração, parceiros e contendores. A última dupla, e a maior delas, Hillel e Shamai, foi também aquela que cultivou a rivalidade intelectual de forma mais intensa. Aí vem a Mishná, com suas seis gerações de sábios, cada uma liderada por sua vez por um descendente biológico do próprio Hillel, o Ancião. A Mishná estabelece um registro na sobreposição intrínseca das dinastias biológicas de pai-filho e intelectuais de professor-aluno. E pouco importa se o dócil Hillel realmente gerou tantos eruditos mishnaicos proeminentes. Ele os gerou intelectualmente; isto é demonstrável, e basta.

Os dois Talmudes, o jerusalemita com suas seis gerações de estudiosos, e o babilônico, com suas oito gerações, baseiam-se diretamente na Mishná, assegurando o continuum de erudição, que a essa altura já era uma tradição escrita. Durante séculos, ambas as comunidades talmúdicas produziram rabinos e discípulos, que por sua vez também se tornaram rabinos.

Note-se a persistente dualidade, uma característica do estudo judaico ortodoxo até hoje. O estudo rabínico adora dualidades, seja de colegas adversários (tais como Hillel e Shamai), ou o par professor-aluno. Às vezes pai biológico, professor e interlocutor numa disputa se juntam num só. Imaginem os emaranhados psicológicos! Era um mundo muito masculino, quase sem mulheres, analítico, competitivo, verbal, libidinal.

A contenda intelectual era renhida. "Hillel, o Ancião, teve oitenta discípulos, trinta deles dignos de o Espírito Divino pousar sobre eles, como [pousou sobre] Moisés nosso Mestre, trinta deles dignos de que o Sol se detivesse para eles [como se deteve] para Josué filho de Nun, [e os restantes] vinte eram comuns." Aquelas salas de aula eram pura elite, pela própria luz de seus próprios ocupantes. E os estudos rabínicos não são para os fracos de coração.

Diferentemente da Atenas de Sócrates, e de alguns pavilhões de estudo modernos, não se precisava ser um garoto rico para ficar pairando em torno do Mestre. Alguns dos grandes rabinos eram eles próprios humildes artesãos e trabalhadores braçais. Shamai era construtor, Hillel lenhador, Rabi Yohanan remendão, Rabi Isaac e Rabi Joshua eram ferreiros, Rabi Jose curtidor de couro, Resh Lakish cuidava de pomares, e Rabi Nehemiah era oleiro. Esta lista é atualmente citada com algum entusiasmo em Israel, onde ferve o debate público relativo à difundida aversão dos ultraortodoxos à educação moderna e ao treinamento profissional.

Parte dos temas dos quais se ocupavam os *tanaim* e *amoraim* não nos diz respeito ou é desinteressante para nós, mas algo devemos conceder-lhes: a Mishná e o Talmude documentam as maiores hierarquias de base intelectual anteriores ao surgimento das universidades no Ocidente.

A Mishná em si era muito consciente e curiosa acerca de suas próprias origens eruditas. Seus sábios propunham algumas excelentes questões históricas: por que as tábuas de Moisés tornaram-se uma Torá oral? Como foi que a Torá oral voltou a ser posta novamente por escrito? Por que o antigo alfabeto hebraico foi abandonado, e o alfabeto quadrado assírio adotado para substituí-lo? Rabi Jose pensava que, muitos anos depois de Moisés dar a Torá, Esdras forneceu o roteiro pelo qual a Torá foi daí por diante escrita. Outro rabi sugeriu que o rolo original deve ter sido escrito naquele alfabeto quadrado assírio, e que o perdemos por causa de nossos pecados e o redescobrimos nos tempos de Esdras.

Esta deve ter sido uma das primeiras discussões no campo que hoje chamamos de história do livro. Significativamente, mesmo os *tanaim* sentiam que algumas lacunas históricas merecem explicação. Sentiam uma grande necessidade de preencher esses buracos negros com uma suave genealogia de erudição. Nós, em contraste, não estamos comprometidos com um continuum iniciado pelo próprio Moisés. Pode ter havido épocas de pouco estudo nos primórdios da história israelita, no começo da Idade do Ferro, quando os humanos extraíam sua subsistência da agricultura, e cidades surgiam e caíam em meio a guerras violentas.

Mas a Torá se difunde a partir dessa mesma Idade do Ferro, e ela nem reconhece nem perdoa a opção de criar seu filho homem ignorante do Texto Sagrado. Não temos evidência histórica de comunidades judaicas iletradas em tempos antigos ou medievais. É razoável supor que por mais de dois milênios e meio os estudiosos judeus mantiveram uma genuína corrente de estudo, que a maioria dos homens judeus era mais ou menos capaz de acompanhar por meio da leitura. Uma linhagem de instrução.

Na nossa era pós-freudiana, os emparelhamentos professor-aluno e pai-filho, às vezes sobrepostos e metaforicamente próximos, detêm grande fascínio. Pensemos no seguinte: a tradição judaica autoriza e encoraja o aluno a se erguer contra o professor, discordar dele, provar que está errado, até certo ponto. Este é um momento freudiano, bastante raro nas culturas tradicionais. E é também uma chave para a inovação intelectual, até certo ponto. Não sabemos se os judeus rabínicos poderiam ter encaminhado a modernidade sozinhos sem aquele poderoso empurrão do mundo exterior. Mas sabemos sim que foram capazes de ensinar ao mundo em processo de modernização uma lição em termos de boa educação questionadora. E também — como testemunham Marx, Freud e Einstein — algo acerca de figuras paternas fortes, rebelião intergeracional e o repensar de velhas verdades.

Até certo ponto, dizemos, porque a rebelião tem seus limites. Não se podia jogar fora toda aquela coisa de Deus, fé e Torá. Se você fizesse isso, podia ser expulso. Mesmo sendo brilhante e amado como Elisha ben Abuya, o senhor caído do estudo mishnaico que passou para os romanos, seu nome seria apagado dos registros como punição pela sua apostasia. Mas espere: a sabedoria de Elisha era grande demais para se obliterar, então ainda assim ele seria citado, e ainda aparece no Talmude como "O Outro". *Acher*.

Isso nos leva para os diversos papéis de Deus em numerosas tramas bíblicas e talmúdicas. Mesmo não crentes não podem ignorar a importância crucial da Deidade para a história. De Criador único ele se torna um poderoso agente de intervenção e mudança, embora nunca mais tenha agido sozinho após o aparecimento de Adão e Eva. Os seres humanos sempre giram as rodas da trama junto com o Todo Poderoso, e muitas vezes na sua ausência. Na Bíblia, e mais claramente no Talmude, Deus é um Pai, mas não um pai nos moldes cristãos. Ele é pai de todos os Filhos de Israel, e na sua forma feminina diaspórica de *Shechiná*, o invólucro da presença divina, ele até lhes serve um pouco como mãe, mas ao mesmo tempo é um Professor rigoroso e responsável. A história do Deus judaico é portanto a história das noções evolventes de Paternidade, do antigo, e muitas vezes irado, Senhor das Multidões que tudo vê para o moderno pranto de órfãos que perdem a fé e lamentam o vazio da presença paterna.

Isso explica a nossa opção de manter o Todo Poderoso dotado de gênero, e masculino. A maioria dos israelenses nem sequer tem consciência das progressivas práticas litúrgicas de despir Deus de seu gênero, ou atribuir-lhe um gênero duplo, ou feminizá-lo. Nossa própria perspectiva secular desenvolveu-se a partir de uma moderna geração de céticos que abandonou, como veremos no caso de Agnon, a deidade distintamente paterna. Ou melhor, sentiu-se abandonada por ela.

Quando Rabi Meir pediu a Elisha ben Abuya que se arrependesse, este — montado a cavalo, em pleno Shabat! — retrucou que ouvira a palavra de Deus de "trás do véu": "Voltai, filhos iníquos [Jeremias 3,14] — exceto *Acher*". Deus o Pai e Mestre pode perdoar muitos filhos que erram, mas não Elisha, pois a enormidade de sua traição comparava-se à sua compreensão do divino. Logo, Deus deixou o filho que estava mais próximo dele definhar às portas do céu. Não podia sequer mandá-lo para o inferno, pois ele estudara muito a Torá.

Então, rendamos graças a figuras fraternas. Pois, como o Talmude babilônico vai adiante para nos dizer, após a morte de ben Abuya, Rabi Meir e Rabi Yohanan deram um jeito de revirar as coisas de tal modo que, quando você vira da página 15a para a 15b no Tratado Haguigá, a alma do pecador *Acher* veio a descansar em paz, presumivelmente no paraíso.

Muitas disputas eram perfeitamente legítimas, e relatadas com orgulho. O judaísmo pode conter um bocado de rivalidade sob suas vestes — talvez porque, no fim de cada sessão de discussão, os sábios podiam ir para casa, para a esposa, filhos e comida quente sobre a mesa. Era um universo intelectual masculino, com certeza, mas não era nem celibatário nem espartano.

A palavra *chutzpá* — ousadia, atrevimento —, aliás, provém do conceito talmúdico de uma "corte de justiça impudente", *beit din chatzuf*, onde dois leigos julgam disputas financeiras, ainda que os sábios tenham decretado que três leigos são o quorum para tais decisões. De maneira bem típica, os rabis discordavam sobre a questão de as decisões das cortes impudentes serem ou não aceitáveis. Alguns diziam que sim. *Chutzpá* pode ser desagradável, mas está aqui para ficar.

O Talmude é muito bonito quando carrega uma grande discordância com dignidade. Na sedutora história do Forno de Achnai — como poderíamos passar por cima dessa deliciosa fatia talmúdica? — o próprio Deus tenta intervir num debate rabínico, e termina derrotado. Não importa que esta complexa história seja enrolada como uma cobra, amontoada confusamente, com um triste final para um dos rabis. Sua essência continua sendo adorável aos olhos modernos:

> Nesse dia Rabi Eliezer apresentou cada argumento imaginável, mas eles não aceitaram. Disse-lhes ele: "Se a *Halachá* estiver de acordo comigo, que esta alfarrobeira o prove!". Ao que a alfarrobeira foi deslocada cem cúbitos de seu lugar — outros afirmam, quatrocentos cúbitos. "Nenhuma prova pode ser dada por uma alfarrobeira", retorquiram eles.

As picuinhas da disputa em si, talvez sobre um fogão ou talvez sobre uma cobra, não são o ponto focal. Mas é absolutamente emocionante que Deus tenha resolvido intervir, lançando milagres em apoio a Rabi Eliezer ben Horkanos. E que todo um grupo de rabinos tenha considerado esses milagres irrelevantes para a disputa, este é o cerne da questão.

> Mais uma vez [Eliezer] lhe disse: "Se a *Halachá* estiver de acordo comigo, que este córrego d'água o prove!", ao que o córrego correu para trás — "Nenhuma prova pode ser dada por um córrego d'água", retrucaram eles. Mais uma vez ele insistiu: "Se a *Halachá* estiver de acordo comigo, que as paredes da escola o provem!", ao que as paredes se inclinaram como para cair. Mas Rabi Joshua repreendeu as paredes, dizendo: "Quando eruditos estão envolvidos numa disputa haláchica, o que tendes a interferir?".

Aquelas desafortunadas paredes, aliás, permaneceram tortas. "Logo, não caíram, em honra a Rabi Joshua, e tampouco voltaram a se endireitar, em honra a Rabi Eliezer; e assim estão elas até hoje, inclinadas." Gostamos deste pequeno aparte porque é revelador em dois pontos: o respeito no estilo talmúdico e a arquitetura no estilo talmúdico.

Agora vem o ápice. O próprio Senhor ergue a voz em apoio a Rabi Eliezer:

> Mais uma vez [Eliezer] lhe disse: "Se a *Halachá* estiver de acordo comigo, que seja provado pelos Céus!". Ao que uma Voz Celestial bradou: "Por que discutis com Rabi Eliezer, vendo que em todos os assuntos a *Halachá* concorda com ele!", Mas Rabi Joshua levantou-se e exclamou [citando o Deuteronômio]: "Não está nos céus!".

Esta passagem é um momento seminal na história intelectual judaica. Rabi Joshua é o nosso Prometeu. O próprio Talmude parece parar em seu curso, mudo.

> O que ele quis dizer com isso? — Disse Rabi Jeremiah: Que a Torá já foi dada no Monte Sinai; nós não prestamos atenção a uma Voz Celestial porque Vós há muito escrevestes na Torá no Monte Sinai, [citando Êxodo]: "Segundo a maioria deve-se inclinar".

A Torá agora é domínio humano. O julgamento de uma maioria bate o Todo Poderoso numa discussão acadêmica. Nada menos que isso.

Se você se perguntar por que o próprio Deus pensou em tudo isso, os rabinos já se fizeram essa pergunta. E a responderam no mesmo capítulo:

> Rabi Nachman encontrou [o profeta imortal] Elias e lhe perguntou: O que o Santo, Bendito seja Ele, fez nessa hora? — O profeta riu [de prazer] e respondeu dizendo: "Meus filhos derrotaram a Mim, meus filhos me derrotaram".

Se você for ler apenas uma única página do Talmude em toda sua vida, leia Baba Mezi'a 59b.

* * *

Grande parte do Talmude é estranha a nós, israelenses seculares. Ele contém vastos trechos inacessíveis, ou porque estão em aramaico, ou simplesmente por parecerem arcaicos, legalistas ou esmiuçados demais. A Bíblia, por outro lado, está cheia de marcos geográficos que reconhecemos, imagens naturais que adoramos, e vinhetas da natureza humana que admiramos profundamente. E para culminar essa diferença genérica, o Talmude é frequentemente associado a extremismo religioso ou nacionalista. A maioria dos judeus seculares — com algumas exceções significativas — deixa o Talmude para os crentes e ultracrentes.

Mas o Talmude — e particularmente o episódio do Forno de Achnai — abriu um dramático caminho novo, afastando-se da intimidade bíblica com intervenção divina. Como diz Menachem Brinker de forma concisa e significativa, o Forno de Achnai sinaliza a transição da profecia para a exegese.

Esta é uma junção de épocas. Foi-se o profeta solitário com uma ligação direta com o Todo Poderoso. Entra o intérprete, em constante conversa com colegas intérpretes, aplicando a inteligência humana aos textos sagrados, agora sujeitos a múltiplas leituras. Enquanto Abraão argumentava com Deus e Moisés reiterava as palavras de Deus, os rabinos mishnaicos e talmúdicos estão na atividade de deslindar, elucidar, explicar e contraexplicar Deus, Abraão e Moisés. A profecia é mística, mas a exegese é humana. Tão humana que a intromissão mística pode ser abertamente mal recebida.

A relação judaica com o livro começou a sério no Talmude:

> Diziam de Raban Yohanan ben Zakai que ele não deixou [sem ser lida] Escritura e Mishná, Guemará, Halachot e Agadot, sutilezas da Torá e sutilezas dos Escribas, inferências *a minori ad majus*, analogias, computações de calendários, guemátrias, conversas dos anjos

ministeriais, conversas de demônios, conversas de palmeiras, parábolas de lavadeiras e fábulas de raposas, grandes questões e pequenas questões [...]

Ben Zakai foi uma das luzes mais brilhantes do Talmude. A onívora lista de leitura do ilustrado prossegue mais um pouco, mas o objetivo é claro. Se vivesse hoje, teria sido o tipo de leitor a quem Woody Allen se referiu como "o homem que devora *Finnegans Wake* na montanha-russa de Coney Island". Note-se o ecletismo, também: um Raban Yohanan de hoje seria capaz de devorar Tolstói e Toni Morrison no café da manhã, ao mesmo tempo verificando dois sites de notícias em seu dispositivo eletrônico e passando os olhos nas letrinhas da embalagem do cereal. Reconhecemos o tipo. Não é preciso ser um rabi (ou judeu) para pertencer a esse clube.

Mas a explicação do próprio Raban Yohanan para seu apetite de leitura era absolutamente devota. "Que eu possa fazer com que os que me amam herdem substância, e que eu possa encher seus tesouros." Isto, aliás, é o que chamamos de hiperlink talmúdico, citando como referência aos leitores informados o elogio à sabedoria em Provérbios 8,11. Ali, o narrador é a própria Sabedoria, que é "melhor do que rubis, e todas as coisas desejáveis não devem ser comparadas a ela" (8,11). O que Yohanan realiza aqui é o que o Talmude frequentemente faz com a Bíblia: transformar o conceito de sabedoria de Provérbios — legal, política e prática — numa espécie de sabedoria talmúdica, erudita, dos livros. Muitos livros. Todo tipo de livros.

Temos certeza de que você quer saber o que são as "conversas de palmeiras". Nós também, e estamos todos em boa companhia, pois o grande comentarista Rashi também ficou desorientado. Mas outros exegetas nos informam que se ficarmos debaixo de duas palmeiras inclinadas uma em direção à outra, e nesse dia não estiver ventando demais, poderemos interceptar informação passando entre elas. Então o mundo inteiro é um texto, de fato.

Vamos fazer uma digressão e dizer algo sobre os componentes não verbais da memória cultural. Não podemos dizer se as palmeiras transmitem significado legível, mas sabemos que tradições não são feitas apenas de palavras. Toda cultura tem impressos glifos visuais, musicais e comportamentais em seus membros, e os judeus não são exceção. Um vocabulário cultural pode incluir expressões faciais, postura física e gestos, cheiros e sabores familiares. Os judeus, ao construírem casas na Diáspora, eram obrigados a deixar uma pedra ou pedaço de parede sem pintar, como lembrança da destruição do Templo. Este costume transformava a pedra nua numa palavra, e a casa num livro. Enquanto estivesse de pé, ela contaria uma história. E o mesmo ocorre, até hoje, com o Prato de Pessach, repleto de comidas simbólicas, complementando a Hagadá com seu colorido comentário sem palavras. Mas não vamos tratar aqui de bibliotecas judaicas não verbais com mais profundidade. Já temos o bastante só com as palavras.

Esse absorvente amor pelos textos, corporificado por Yohanan ben Zakai, veio a ser uma longa e complexa relação entre judeus letrados e a palavra escrita. De um sábio contemporâneo, Jonathan ben Uziel, dizia-se: "Quando ele se sentava e se ocupava da Torá, todo pássaro que voasse acima dele era imediatamente queimado". Não é um gentil são Francisco que encontramos aqui, conversando com animais e aves. A fogosa paixão desses rabinos pelo estudo podia facilmente acender a chama do fanatismo. Ou, pelo menos, da insociabilidade. Raban Yohanan sabidamente "durante toda sua vida [...] jamais proferiu uma palavra profana, nem caminhou quatro cúbitos sem [estudar a]

Torá ou sem tefilin,* nem havia homem que chegasse mais cedo que ele à casa de estudo".

Provavelmente os talmudistas não eram pessoas agradáveis. Raramente, ou nunca, os encontramos numa simples conversa humana. Não obstante, eles parecem ter sido grandes professores. E isto nos traz de volta ao nosso tema central, a confluência pai-professor que funcionou tão bem para o continuum textual judaico.

A cristandade tradicional mantém o pai biológico e o mestre doutrinário bem separados. Seu sacerdote não pode ser seu pai exceto por metáfora. Nenhum Hillel o Ancião cristão poderia ter esperança de gerar, no sentido literal, alguns de seus melhores discípulos. Nós pessoalmente achamos que é mais bacana você mesmo poder criar alguns alunos. Mas não idealizamos: aquele rabi paupérrimo, tentando a todo custo se concentrar em sua responsa haláchica numa casa minúscula cheia de bebês guinchando, o teto vazando, a *rebetzen* resmungando suas queixas de esposa, será que ele nunca tinha um pouquinho de ciúme do rotundo clérigo em seu calmo presbitério rua acima?

Nu, como se dizia em ídiche nas rodas de onde veio a nossa família, *azoy*.

Tanto na Bíblia como no Talmude, a palavra hebraica para "filho", *ben*, e o verbo "ensinar", *lamed*, tendem a aparecer na mesma sentença. "Pai" ou "mãe" no sentido genérico, *horeh*, e "professor", *moreh*, derivam da mesma raiz gramatical. Já vimos que o rabino talmúdico e o pai muitas vezes se sobrepõem. Jose ben Honi teve certa vez um insight maravilhoso, embora contestável: "Uma pessoa tem ciúme de todo mundo, exceto de seu filho e de seu discípulo".

---

* Filactérios. Usados pelo judeu praticante nas orações matinais. (N. T.)

Fontes judaicas transbordam de relatos sobre este singular módulo professor-genitor. Os rabinos mais severos eram capazes de demonstrar um tocante sentimento paternal quando seus alunos os deixavam orgulhosos; e os pais mais lenientes podiam ser severos ao levar seu rebento — geralmente, como você deve se lembrar, na precoce idade de três anos — para a sala de aula, para longos e pálidos dias de sóbrio estudo.

Uma descendência informada é a chave para a sobrevivência coletiva. Crianças — meninos e meninas, de maneiras distintas e desiguais — eram socializadas de modo a salvaguardar e transmitir a sabedoria cumulativa da sociedade. Conhecimentos práticos, costumes e narrativas eram assim transferidos. Existe uma tendência cultural universal, bem além do saber judaico, de ver todos os bons filhos e filhas como um tipo de portadores da tocha. Em contraste, os filhos e filhas pródigos "questionando seus caminhos", os jovens rebeldes e rapazes malcriados, são aqueles que ameaçam extinguir a chama da memória coletiva. Virar as costas para os ensinamentos de seus pais e mães. Parar de contar as histórias.

Mas consideremos a peculiaridade judaica: aqui, bem cedo, narrar histórias tornou-se um preceito ancorado no texto. Professores ensinavam a partir de livros. A sabedoria oral transformava-se em códice escrito. Desde tempos antigos, pais tinham acesso a algum texto a partir do qual liam para seus filhos. A fórmula "para gerações e gerações" estava literalmente entalhada em pedra, escrita em papiros, ou peles de bezerros, e mais tarde em papel. A injunção bíblica "Contarás a teu filho" — o verbo é *hagued*, denotando transmissão falada — foi posta por escrito, e o escrito tornou-se canônico. Seguiu-se uma cadeia textual, mesmo em relação a este próprio preceito: de Êxodo 13,8 para os Talmudes jerusalemita e babilônico, e daí para Maimônides, mas de forma até mais efetiva — para a eternamente popular Hagadá.

Esse pequeno tomo da liturgia de Pessach provavelmente

evoluiu desde a época do Segundo Templo, com sua mais antiga versão escrita divulgada a partir do filósofo nascido no Egito, Saadia Gaon, no século X EC. Um verdadeiro livro de mesa de jantar, ele reúne um conjunto de antigas fontes escritas, e também letras de canções recém-extraídas da tradição oral medieval. Hagadá significa "contar", uma referência direta a "Contarás a teu filho". A palavra falada fora fixada e anotada em livro, apenas para ricochetear em narrativa oral na mesa do Pessach e em toda sinagoga. Pais e professores liam. Filhos e alunos escutavam, cantavam, falavam e memorizavam. Mães e filhas sentavam-se à mesa da família onde era posta e servida a cultura. De algum modo, não acreditamos que elas fossem passadas para trás.*

    Muito cedo na história do exílio, famílias judias entendiam que precisavam atuar como transmissoras da memória nacional embutida nos textos escritos. É um erro comum datar o início da Diáspora da última revolta catastrófica em 135 EC, pois ela começou muito antes disso, com comunidades judaicas dispersas através dos impérios persa e romano. "Pois aqueles dias", conclui o Livro de Ester, "haveriam de ser lembrados e celebrados em cada geração, cada família, cada província e cada cidade; e estes dias de Purim não deveriam faltar entre os judeus, ou sua memória desapareceria de seus descendentes." Este texto, provavelmente com origem no século IV AEC, ainda chegou a entrar na Bíblia, mas os judeus já se encontram no exílio e são ligados aos livros, e as crianças judias já ouvem de seus pais que devem lembrar e passar adiante a história. Nos dois milênios e meio seguintes nós

---

* Os autores fazem aqui um trocadilho intraduzível com o nome da festa judaica Pessach, que em inglês é chamada *Passover*. O nome da festa tem origem num verbo que significa "passar por cima", cujo significado é mantido no nome em inglês (em português, ou mantemos o nome original Pessach, ou dizemos simplesmente "a Páscoa judaica"). (N. T.)

havemos de celebrá-la, em regozijo, com um crescente sortimento de biscoitos especiais para adoçar o jejum, e leitura oral, coletiva, do rolo que recebeu o nome de Ester, apenas uma das duas mulheres com livros bíblicos em seu nome, e a nosso ver não os mais merecedores. A história tampouco é atraente do ponto de vista moral, embora seja cativante do ponto de vista humano, um conto de poder e mentiras, medo e desejo, sangue e escárnio. E também de espírito nacional, sacrifício e salvação coletiva, tensa e temerária. A Festa de Purim nasceu, tomando seu lugar no calendário judaico perto do antiquíssimo Pessach. Outras festividades comemorativas em breve se seguirão, cada uma com seu relato escrito de um desastre evitado, cada uma com seus deliciosos quitutes — livro e comida juntos na mesa. Por dois milênios e meio, as crianças judias vêm se deleitando com pratos festivos enquanto prestam atenção, leem e recitam esses textos de ruína e salvação. O feriado judaico é uma casca de noz, como diz o ditado: eles tentaram nos matar, nós sobrevivemos, vamos comer.

Que magia manteve este templo familiar da memória textual vivo durante 25 séculos? Achamos que a resposta tem algo a ver com a mistura de pão e livros. Com esse leite do seio exclusivamente verbal. Com a capacidade de combinar a Mensagem de Moisés com a Mesa da Mãe. Achamos que a refeição festiva familiar precedeu de longe o púlpito da sinagoga e a escrivaninha do erudito.

Mas agora vamos deixar a comida de lado, por enquanto.

Falando simplesmente, nossa tese é a seguinte: para poder se conservar como família judia, uma família judia obrigatoriamente dependia de palavras. Não quaisquer palavras, mas palavras que vinham dos livros.

Pais judeus não meramente *recitavam* as histórias, leis e

fundamentos da fé no círculo familiar; eles os *liam*. Pois mesmo que não possuíssem livros, os textos rituais que narravam estavam escritos em livros. Um papiro ou pergaminho era um bem doméstico caro na Antiguidade e na Idade Média, e não podemos supor que todo lar judeu, no norte da África ou na Europa, pudesse ter um item como esse. Mas a sinagoga possuía o rolo da Torá guardado na arca ornamentada na parede virada para Jerusalém. E alguém na vizinhança — o rabi, o mestre-escola, o médico, o mercador rico — devia possuir pelo menos alguns dos livros sagrados e rabínicos. Assim, os volumes estavam ao alcance, leitura oral e recitação eram a norma, e portanto seu conteúdo podia ressoar em cada lar judeu.

Mesmo que não se pudesse achar nenhuma sinagoga num raio de muitos quilômetros, nem rabinos, alguém em casa era capaz de recitar migalhas de Torá, versículos cruciais, formulações básicas e o esqueleto da História. Talvez apenas um cântico. Ainda assim podiam passar adiante para seus descendentes um legado escrito, ainda que em forma oral. Mesmo desprovidos de livros ou pouco instruídos, os judeus sempre tinham o texto.

De outro lado, se um lar judaico fosse razoavelmente abastado, como no caso da família mercante de Glikl de Hamelin na Hamburgo-Altona do século XVII, as filhas também recebiam educação, e até iam para um *heder** para meninas. "Meu pai educou seus filhos, meninos e meninas, nas coisas celestes e terrenas", escreveu Glikl. Ela cresceu e se tornou uma bem-sucedida mulher de negócios e ávida leitora, principalmente em ídiche (que Glikl e seus contemporâneos chamavam de *Taytsh*), embora soubesse hebraico e possivelmente também alemão. Sua estante, como evidenciam suas cartas, era necessariamente não muito diversificada, mas ainda assim intelectualmente voraz: tradução da Bíblia,

---

* Escola de estudos bíblicos e talmúdicos para crianças. (N. T.)

tratados morais, manuais práticos, registros históricos da vida judaica e perseguições contra judeus, provérbios em ídiche, fábulas e contos — uma seleção bastante ampla de títulos destinados a leitores laicos — e então, especialmente para mulheres letradas, livros de orações e súplicas (*techines*) e o imenso sucesso *Tzana urena*. Este último, compilado por Jacob ben Isaac Ashkenazi, dava a mulheres cultas como Glikl um vislumbre das interpretações talmúdicas e rabínicas, dispostas ao lado dos textos originais das escrituras para leitura cuidadosa. A vida de Glikl de Hamelin foi excepcional — ela era rica, bem relacionada e talentosa autora de cartas de família que sobreviveram — mas seu material de leitura foi acessível a um grande número de mulheres judias, e homens também, fora da trilha rabínica. Ao contrário de suas equivalentes em vernáculo europeu contemporâneo, a estante de livros ídiche estava intimamente ligada com sua vizinha erudita, e assim servia para educar pessoas leigas de inclinação intelectual.

Enquanto outras sociedades pré-modernas preservaram sua memória num padrão que podemos chamar de "pai-história-filho", o equivalente judaico era "pai-*livro*-história-filho". As histórias judaicas não eram apenas narrativas e morais, mas também legais: apresentavam leis divinas e intricadas regras de conduta. Os livros portanto afetavam a aculturação dentro do lar. Ressoavam nos ouvidos das crianças em seu palavreado rígido e exigente, contudo rico e sustentador. Muitas das palavras obviamente eram cíclicas, sempre relidas e reproferidas. O calendário judaico impõe seus textos recorrentes diários, semanais, mensais e anuais. A repetição pode drenar a criatividade, com certeza, mas tem também a estranha capacidade de ancorar, nutrir e até mesmo surpreender. Linhas reiteradas às vezes produzem música; e muito da musicalidade judaica proveio da ressonância de palavras repetidas. Crianças estão propensas a absorver tais sonoridades textuais precoces como canções de ninar, por toda a vida.

No judaísmo, o papel dos pais tinha, e talvez tenha, um singular aspecto acadêmico. Ser pai ou mãe significava executar em algum nível um ensino baseado em texto, e ser filho ou filha envolvia um certo mínimo de estudo, pelo menos recitar algumas fórmulas. Isso significava sobrevivência cultural. Estereótipos do século XX, especialmente nos Estados Unidos e em certa medida em Israel, retratam os pais judeus, especialmente as mães, como dominadores e geradores emocionais de ansiedade e culpa. Os presentes autores não têm nada contra piadas de mãe judia — elas podem ser amorosas bem como engraçadas — mas a nossa perspectiva histórica é diferente. De fato há uma grande dose de temor nos genes parentais judaicos — por muitas e boas razões — e também um impositivo conjunto de exigências. É um encargo peso-pesado, carregado de conteúdo.

As crianças foram feitas para herdar não só uma fé, não só um destino coletivo, não só a marca irreversível da circuncisão, mas também o selo formativo de uma biblioteca. Não bastava que os jovens seguissem os ritos universais de passagem — observar e imitar os mais velhos, aprender como trabalhar ou lutar, e transmitir contos e canções ancestrais junto à fogueira. Tradições orais e imitação física podiam não ser suficientes. Também era preciso ler os livros.

Assim, por muitos séculos, as crianças judias, meninas tanto quanto meninos, foram expostas a textos escritos: um pouco de Bíblia, a estranha palavra hebraica, algumas bênçãos e orações. Em qualquer dado momento duas ou três gerações coabitavam a mesma casa, a sinagoga, a sala de aula. E podiam passar adiante as palavras, as canções e os rituais. Junto com as práticas gerais de criar os filhos — formação de hábitos, treino de habilidades e narração de histórias — as velhas gerações tratavam de assegurar que seus filhos e netos assumissem os textos. "Que eu possa fazer que aqueles que me amam herdem substância, e que eu possa encher seus tesouros", como está nos Provérbios, e Raban Yohanan aplicou de forma apta ao legado dos livros.

Jesus de Nazaré, um judeu, disse a seus discípulos: "Deixai as criancinhas virem a mim, e não as impeçais, pois delas é o Reino de Deus". A diretiva soa bastante judaica, mas o raciocínio é essencialmente cristão: ele repousa sobre a premissa de que os menos instruídos são os seres humanos mais puros. Ele vincula inocência com ignorância.

Mas a tradição judaica geralmente — alguns contos hassídicos servem de exceção — não achava nada de angelical numa criança sem ensino. Anjos judaicos (*mal'achim*) são servos do Senhor, seres abstratos representando conhecimento, verdade, justiça e paz, talvez alados mas impalpáveis, muito distantes de rechonchudos bebês querubins da arte cristã. E crianças não são anjos. Assim, nas comunidades judaicas crianças pequenas já eram eruditas. O Talmude as chama carinhosamente de "bebês de escola", *tinokot shel beit rabban*. Seu encanto residia no estudo, no doce recitar do alef-beit, e não na sua inocência não contaminada.

Salomão, ou quem quer que tenha escrito os Provérbios — um autor evidentemente obcecado com o conceito de sabedoria, notavelmente a sua própria — disse que um filho sábio alegra o pai, e um filho insensato entristece a mãe. Pode não haver solução para o tolo (*ksil*), mas consideremos o termo hebraico para "inocente", *tam* ou *tamim*. O termo bíblico original significava "inteiro" ou "imaculado", e podia ser aplicado a um animal sacrifical bem como a um homem correto. Porém, mais tarde, significativamente *tam* tornou-se o simplório da Hagadá. Uma criança à qual se precisa ensinar pacientemente os fundamentos judaicos. Ignorância e ingenuidade não têm mérito. Não existe *sancta simplicitas* para os judeus.

* * *

Por que fazer perguntas é um passatempo predileto judaico?
O hebraico bíblico não conhecia pontos de interrogação, mas o Livro dos Livros está cheio de perguntas. Não as contemos todas, mas a julgar pela predominância de "o que", "quem" e "por que", ele pode muito bem ser o mais inquisitivo dos textos sagrados. Uma boa parte delas, seguramente, é retórica, proclamando a glória de Deus. O próprio Deus é um grande interrogador. As respostas a algumas de suas perguntas podem parecer autoevidentes, mas não são. Leitores modernos ainda podem ponderar sobre elas como profundas e inquietantes charadas. Estas são as primeiras perguntas jamais feitas:

Deus para Adão: "Onde estás?" e "Quem te disse que estás nu?".

Deus para Eva, e mais tarde para Caim: "O que fizeste?".

Deus para Caim: "Onde está Abel, teu irmão?".

E Caim, o primeiro homem a responder uma pergunta com outra pergunta, descaradamente irreverente, mais sombrio que a mais sombria sombra de *chutzpá*: "Sou por acaso guardião do meu irmão?".
Sim, irmão, tu és. Ou será que és?
E a criança lê. E não é literatura infantil. Literatura infantil é algo moderno. Os meninos na velha sala de aula judaica liam sobre Eva e a Cobra e Adão, liam sobre Caim e Abel, liam as perguntas, e questionavam as perguntas. Eles precisam encarar a resposta de Caim do mesmo ângulo que Deus e os adultos devem encarar.
Nossas indagações bíblicas revelam sensibilidades absolutamente humanas, não menos que as sensibilidades do próprio Deus.

Veja sua pergunta a Abraão: "A troco de quê Sara riu?". O Ser Supremo fica seriamente ofendido com a descrença de uma mulher velha em relação a sua promessa de um bebê. Mas eu ri, Sara protesta um tanto atemorizada. Você riu também, retruca Deus.

Outras perguntas são retoricamente furiosas: "Quem pediu de vós pisotear minha corte?", pergunta Isaías em nome de Deus. "Por que deixastes nosso povo cruzar o Jordão, apenas para se perder nas mãos dos amoritas?", pergunta Josué, vociferando contra Deus. "Por que me enganaste? Tu és Saul!", diz a zangada Necromante de Endor ao rei de Israel disfarçado, colérica em seu próprio nome.

Mas numerosas indagações bíblicas são genuinamente interrogativas. Algumas delas intelectualmente fascinantes: "Aquilo que é, é longínquo, e extremamente profundo; que é capaz de descobrir?"; "Destruirás realmente os justos junto com os perversos?"; "Que proveito tira o homem de toda sua labuta, que ele labuta sob o sol?"; "Pois que vantagem tem o homem sábio sobre o tolo?"; "Por que o caminho do perverso é bem-sucedido, e todos os traiçoeiros estão a salvo?". E a mais encantadora deste grupo: "Qual é o caminho do vento?".

Há questões gigantescas e questões ínfimas. Para os talmudistas, com sua insaciável curiosidade legalista, nada era pequeno demais para deixar de ser examinado. Por que um camelo tem cauda curta? Como Moisés sabia onde José estava enterrado? O que deve ser feito com um ovo botado durante um feriado sagrado? O que acontece quando um rato com um pedaço de biscoito na boca entra numa casa que já foi limpa de todo farelo de pão antes do Pessach? Se mais tarde você vir um rato deixar a casa com um biscoito igual, como pode saber se é o mesmo rato ou o mesmo biscoito?

Algumas dessas questões soam engraçadas, talvez intencionalmente, servindo a pelo menos dois propósitos intelectuais. Primeiro, provocar o cérebro: adquire-se a prática da curiosidade quando não se deixa de revirar nenhuma pedra. Segundo, o

Talmude constantemente suspende algumas das nossas perspectivas normais de tamanho e importância. No mundo de Deus, as menores coisas têm tanta importância quanto as maiores. Investigar as intrincadas leis que governam as partículas mais minúsculas da existência humana é um ato de fé.

Além disso, os rabis obviamente tinham senso de humor. Brincavam com ideias, faziam troça de colegas e ancestrais e parodiavam seu próprio estudo. Há muita coisa no Talmude que gera desconfiança nos presentes autores, mas não seu senso de humor. E tampouco sua afeição pelo que é aparentemente trivial.

Judeus modernos, oscilando nas bordas entre a fé e a apostasia, fizeram perguntas mais sombrias: "Identidade" é um conceito moderno; suas crises são crises modernas. Tão logo você deixa as certezas infantis da tradição judaica, o abraço paterno e o aprisionamento da educação rabínica, a conjunção maternal de nutrição e ritual — ao passo que ainda se lembra deles — você se descobre às margens solitárias da atormentada modernidade, com todas as suas simulações dinâmicas e perdas irrecuperáveis. Uma geração portanto espremida entre a velha sinagoga e o novo mundo amplo, entre autoridade e incerteza, entre Iluminismo e Holocausto. Todas essas trajetórias interceptadas pela fé e sua rejeição. Haim Nahman Bialik foi pego nesse labirinto, como também o foi Isaac Bashevis Singer e quase todo pensador e autor dessa primeira grande massa de judeus modernos.

O romancista entre nós, em seu livro sobre Shmuel Yosef Agnon, assim escreveu:

> Além de tosar as diferenças de talento, talvez possamos dizer que o trauma, a fenda, na alma de Agnon era mais profunda e mais dolorosa que aquelas [de outros autores]: logo, a tensão criativa, o vigor

das fontes de energia, a profundidade dos tormentos são de ordem totalmente distinta. Pois a dor e a aflição de Agnon e da sua geração eram malignas: incuráveis, insolúveis, inextricáveis. Há Um Que ouve nossa prece, ou não há. Há Justiça e há um Juiz, ou não há. Todos os atos de nossos antepassados são significativos, ou não são. E já que estamos nisso — há algum significado para os nossos atos ou não há? E há algum significado em algum ato em geral? O que é pecado e o que é culpa e o que é correção? Em tudo isto, Agnon não é nem guia nem modelo, mas ele e seus heróis vão e voltam de um extremo a outro em pavor e desespero. Tal pavor e tal desespero são a fonte de todas as grandes obras de literatura também nas outras nações, em outras línguas e em outros tempos. E com toda a contenção embutida nos escritos de Agnon, escritos que vêm "depois que o escritor imergiu em água gelada" ("O Conto do Escriba"), com toda a moderação e dissimulação e emudecimento e circunvoluções e ironia e às vezes até mesmo sofisticação — com tudo isto, o leitor sensível ouvirá um grito abafado [...] uma ferida aberta. Pois aqui há um criador genuíno.

Agnon sentia agudamente essa fronteira. "Às vezes eu me colocava entre os crentes, às vezes entre os que questionam", escreveu ele em sua história "Tehila". Ele devia saber, é claro, que alguns crentes também são questionadores. Mas Agnon tinha em mente um outro conjunto de questões, aquelas de quem acabou de descobrir a dúvida, perdendo a religião. Talvez sentisse que o judaísmo ortodoxo convencional tinha esquecido o questionamento que o Talmude um dia conheceu.

De todas as perguntas, a mais aguardada é a indagação intergeracional que assegura a passagem da tocha. "E quando amanhã o teu filho te perguntar, Quais são os testemunhos, e os estatutos, e as ordenações, que o Senhor nosso Deus te ordenou?" Esta é a chave, a Pedra Filosofal Judaica. É o módulo pedagógico da memória, recuando até o berço nacional, o Livro de Êxodo. Por favor, Filho, pergunta a mim.

Note que a pergunta do filho não é uma simples armação. Pois, seguramente, a criança já aceita "nosso Deus", mas ele, ou de fato ela, não está ainda preso à pletora de obrigações que "Deus te ordenou", ao pai. Adolescentes judeus sempre tiveram permissão de lampejos de irreverência investigativa. Mesmo nos textos mais reverentes. Nós gostamos deles assim, tanto as crianças como os textos.

Debate e disputa estão enraizados no processo de leitura. A erudição judaica era, e é, entusiasticamente debatedora. Voltaremos a isto mais adiante. Por ora, tratemos um pouco mais do tópico das perguntas.

Alguns modos de questionamento são ferramentas diretas de aprendizagem, com uma agenda pedagógica não diferente do catecismo católico. Outro modo famoso de questionamento é fabricado para servir à comunidade, como na maior parte do gênero da responsa rabínica, os tradicionais registros de perguntas-e-respostas que formam uma documentação cotidiana da vida observante. Rabi, esta galinha é kasher para nossa ceia de Shabat?

Mais alto na escala da erudição, questões e problemas — *kushiot*, "complicados", em linguagem talmúdica — eram intelectualmente desafiadores. O mais complicado entre eles se aproximava facilmente da blasfêmia. Em espaços privilegiados — sinagoga, *yeshiva*, lar rabínico — textos eram estudados mediante disputas e competição de interpretações. Filhos talmúdicos, biológicos e metafóricos, desafiam constantemente seus pais. Era uma linhagem intelectual altamente exclusiva, é claro. Nem todo mundo era convidado a discutir problemas complicados, muito menos levantá-los. Estudiosos talmúdicos eram classificados pela elegibilidade mental para penetrar nesses vastos emaranhados eruditos.

O *pardes* espiritual, o pomar do estudo, era simultaneamente uma metáfora e um acrônimo para uma íngreme escada de desafio intelectual e perigo psicológico. Aventurar-se mais e mais profundamente no pomar significava que o estudioso podia apresentar questões mais complicadas e refletir sobre elas, examinar a sabedoria secreta, mas também arriscar-se a perder a vida ou a sanidade no processo.

Voltemos às crianças, sorvendo alimento e palavras à mesa da família ou amontoadas em torno do *melamed* na sala de aula. O Talmude estipulava, e a Hagadá mais tarde popularizou, algumas regras de discussão em família. Era um paradigma de inquirição intergeracional: crianças fazem perguntas, e os mais velhos respondem. À mesa de Pessach, enquanto se lê a própria Hagadá, perguntas e respostas são formuladas e predeterminadas. A menor das crianças canta as "Quatro perguntas", e toda a família dá as respostas. Mas note-se que, apesar de sua natureza formuladora, a Hagadá reconhece, e incentiva, uma habitual dinâmica de sério interrogatório intelectual. As simples indagações da criança são chamadas de *kushiot*, complicadas, exatamente iguais aos desafiadores enigmas talmúdicos.

Em outro momento favorito do Pessach relacionado com crianças perguntando, "Os Quatro Filhos", a Hagadá relata que três entre quatro filhos — o sábio, o malvado e o simplório — formulam perguntas difíceis, cada um à sua maneira. Como os filhos representam distintos tipos intelectuais, as perguntas variam em sofisticação e erudição, mas cada uma merece uma resposta individualizada. Só o último filho, "aquele que ainda não sabe perguntar", deve ser abordado pelo pai ("e te aproximarás dele"). O mais interessante, de longe, é o filho "malvado": "O que significa todo este esforço para vocês?", ele lança no ar. Aos olhos modernos trata-se de um típico adolescente questionador. Outras culturas tradicionais teriam mandado açoitar o rapaz. Não que pais judeus nunca administrassem castigos corporais, mas em torno da mesa do Pessach o "filho malvado" recebe uma resposta verbal, embora bastante dura, sinalizando que o pai se recusa a desistir desse rebento extraviado. Passar a tocha envolve uma abordagem esperta à adversidade adolescente.

Não estamos tentando glorificar todos os antigos hábitos de ensino judaicos. Eles não eram nem liberais nem modernos, nem igualitários nem pluralistas. Este tipo de intercâmbio pai-filho articula-se em verdades estabelecidas. E penaliza aquilo que considera como maldade ou estupidez, e o que poderíamos encarar como mente aberta e originalidade. Mas olhemos para o lado melhor dessa educação baseada em perguntas: era espirituosa, brincalhona, tratava de ideias, encorajava a curiosidade, e exigia leitura. Obrigava crianças muito novas a ler, e ao mesmo tempo mostrava-lhes o quanto a leitura pode ser necessária. Estipulava que mesmo o simplório, e mesmo o malvado, mereciam respostas, não apenas penalidades. Nada mal, achamos nós, para uma mesa de família pré-moderna.

E as filhas?

As filhas variam. As bíblicas não são semelhantes às talmúdicas. As primeiras podem ser ativas e influentes, as últimas muito menos. Mas consideremos a mesa, esse dispositivo familiar doméstico transmitindo textos através de gerações. Filhas, parentes mulheres, talvez também servas, estavam presentes quando textos dos livros sagrados eram lidos ou recitados. E já que a tocha era feita de palavras, as meninas eram eminentemente capazes de pegá-la e passá-la adiante. Discutiremos as mulheres judias em maior detalhe. Por enquanto, basta dizer que os presentes autores não são a primeira equipe pai-e-filha a tentar lidar com a conversa judaica intergeracional.

Em muitos dos temas deste livro, argumentamos em favor de um continuum. Uma longa linha de descendência.

Este, no nosso caso, não é um pensamento religioso. Não vemos nenhuma necessidade misteriosa, histórica ou de ordem divina, para os judeus terem percorrido um caminho tão longo. A contingência pode ter desempenhado seu papel. Talvez devamos a nossa sobrevivência a um punhado de eruditos cristãos que decidiram incluir a Bíblia hebraica no cânone cristão. Talvez também a alguns dos primeiros juristas muçulmanos que resolveram estender aos judeus uma dose de tolerância. Em muitas encruzilhadas na história nossa existência como dinastia de crentes e portadores de histórias poderia ter sido extinta. Isto não é, de maneira nenhuma, impensável.

Mas já que o credo e a narrativa judaicos tiveram permissão de continuar vivos, a despeito das numerosas e cruéis perturbações da vida e da religião, a máquina oculta se mostrou tão forte e persistente que manteve muitos judeus teimosamente judeus. Ela provou ser tão persuasiva que reteve brilhantes jovens no gueto e no *shtetl*, na *melá* (bairro judeu nas cidades marroquinas) ou na rua dos Judeus, por mais pobres e abatidos que estivessem. Séculos se passaram, eles migraram, mudaram-se, fugiram, arrastaram-se, e carregaram os livros nas costas.

A frase religiosa mais proeminente sobre este tema é que a Torá guarda os judeus na medida em que eles guardam e transmitem a Torá. Uma versão alternativa é que o Shabat salvará os judeus enquanto eles observarem o Shabat.

Nossa própria visão não é radicalmente diferente, ainda que não tenhamos sanção divina nem guardando o Shabat nem a Torá. O que manteve os judeus foram os livros.

É claro que os livros eram considerados sagrados; mas inverta isto e verá um povo que gostava tanto de livros que os consagrou. Então, o que veio antes, a santidade ou o rolo? A nossa resposta é uma e a do religioso é outra. Mas também vale a pena notar que após a destruição do Segundo Templo, apenas os livros permaneceram sacrossantos, e certas palavras. Nada mais. Nenhum templo, nenhuma relíquia, nenhuma dinastia apostólica. Os rabinos são simplesmente humanos. Estátuas e imagens sagradas estão fora de questão. Levados para longe de Jerusalém, sem Tabernáculos nem Menorá, restaram apenas os livros.

Então, quando se fugia para salvar a vida de um massacre ou de um pogrom, de um incêndio em casa ou na sinagoga, eram as crianças e os livros que se levava junto. Os livros e as crianças.

Junto com os textos sagrados floresciam os profanos: os não canônicos, os midráshicos, os poéticos e, em tempos modernos, os abertamente não santos. Havia livros para estudiosos e livros para o povo comum, para os pouco letrados e para os de mentalidade filosófica. No início da era moderna surgiram livros para mulheres, mas muito antes dessa época as mulheres judias já eram familiarizadas com alguns textos criados especificamente para sua erudição e prazer. De maneira similar, os livros infantis são uma invenção moderna, mas muito antes da modernidade, textos divertidos foram inseridos em surdina na Hagadá para divertir os pequenos judeus e atraí-los para a biblioteca dos pais. A partir do fim da Idade Média, as iluminuras devem ter atraído grandes e pequenos leitores, mas até os tempos modernos e recentes — mais ou menos até Chagall — imagens judaicas nunca puderam falar por si. Aos judeus não era permitida a autossuficiência icônica das imagens pagãs e cristãs. Mesmo onde a proibição bíblica de estátuas e figuras pôde ser contornada, as imagens podiam apenas servir às palavras, ilustrar seu significado, espelhar sua história.

Mas livros permaneceriam frágeis objetos corpóreos, e livros santos meros fetiches inflamáveis, sem o ato de ler. Num belo e terrível poema, Bialik saúda os decrépitos rolos velhos na sinagoga abandonada do *shtetl* da sua infância, ou na *yeshiva* deserta de sua juventude: "antiguidades de pó", "eternamente mortos". A leitura incessante, puramente repetitiva ou renovadoramente interpretativa, era o único ato capaz de reter, reiniciar e reconsagrar os textos. Havia o ler coletivo e o ler individual, e o apontar o indicador de texto nos rolos e o recitar oral, o saber de cor e o ler-de-coração, o cantarolar do *nigun* e o entoar de cânticos, o alto e bom som e o silencioso mover dos lábios. Havia ler como oração, ler como ritual, ler como mensagem e ler como reflexão.

Nenhum outro povo pré-moderno foi sistematicamente exposto em seus lares, desta maneira, a textos escritos ao longo do amplo espectro social. A leitura doméstica era uma prática rara e não usual na Europa e na Idade Média, devido à pobreza e ao analfabetismo. Pode ter sido mais comum no mundo muçulmano, mas não como prática de família. Em lares judaicos, pais e mães, avôs e avós, oravam e abençoavam, narravam, recitavam e cantavam. Passavam por um corpus de textos bastante grande vezes e vezes repetidas. As crianças comiam e cantavam, bebiam, observavam e escutavam. Aos doze anos para as meninas e aos treze para os meninos, recebiam a responsabilidade plena pelo legado textual, pela obediência dos preceitos e por manter a *Brit*.

Este pedaço de história social é, para nós, o fato isolado mais importante referente à sobrevivência dos judeus. Em tenra idade, quando as palavras podem ser mágicas e as histórias fascinantes, um vocabulário especial vinha junto com as doces e saborosas oferendas de Shabat. Como pode alguém medir o impacto cultural das graças antes da refeição, *yehi shem adonai mevorach me'ata ve'ad olam*, em hebraico desde tempos imemoriais, no sefaradita paterno ou na entonação asquenazita, junto com a doce *chalá*, o pão do Shabat saído do forno materno? E as canções? E as histórias, remotas, terríveis, deliciosas?

É claro que não é só no hipocampo judaico que textos e gostos habitam neurônios vizinhos. Outras culturas também misturaram verso e saber, comida e festividades. Talvez todas as tradições humanas tenham sido formadas da mesma maneira. Mas quando imaginamos aquelas mesas eruditas e ceias verbais, parece que entendemos como devem ter imprimido uma conectividade particularmente forte nas mentes das crianças.

Nós, não crentes, também nos mantemos judeus pela leitura. Não é uma questão de pura escolha, é claro. Muitos outros fatores nos fizeram ser o que somos: pais, sionismo, modernidade, Hitler, hábito e sorte. Mas se existe alguma cadeia entre Abraão e nós, ela é feita de palavras escritas. Somos textualmente ligados, como nossos ancestrais. E — tomando mais uma liberdade de texto — textualmente ligados aos nossos ancestrais. Somos os Ateístas do Livro.

Judeus israelenses beneficiaram-se de uma janela de oportunidades sem precedentes na história judaica e ocidental. Um século atrás, os homens e mulheres que assentaram as fundações do moderno Estado de Israel, e modernizaram a língua hebraica, também reuniram um programa de estudos que incluía amplos estudos bíblicos não religiosos. Esses pioneiros eram em sua maioria seculares, porém apenas recentemente seculares. Seu currículo bíblico dava ouvidos à filologia alemã e à moderna crítica literária. Mas seu maior instrumento era a nova acessibilidade ao hebraico. Pode-se discutir sobre as conexões entre o hebraico moderno e o antigo, e duvidar da nossa capacidade de realmente entender o vocabulário bíblico; mas a simples beleza e o poder da literatura bíblica de fato deixaram aturdidos alguns desses novos filhos que falavam hebraico. Inclusive nós.

Isso durou três gerações. Duvidamos que a maioria das crianças israelenses de hoje seja atraída pelo Gênesis, e que os adolescentes ainda fiquem estarrecidos com Jó. Ao longo das últimas décadas, o hebraico moderno, tanto o falado como o literário, vem se afastando das inspirações bíblicas. Para alguns liberais, a Bíblia tornou-se domínio nacionalista. Não obstante, a maioria dos que falam hebraico em Israel ainda tem algum *Tanach* dentro de si. Existem, até hoje, mais ateístas entendedores da Bíblia em Israel do que em qualquer outro lugar.

Isso nos dá alguma vantagem. A maior parte dos não crentes ocidentais não cruzou o caminho da Bíblia como texto literário. Ao contrário de Homero, ela não é largamente ensinada nas escolas. Como o Twitter, é transmitida em nacos do tamanho de mordidas. A maioria das citações em circulação não são mais longas que um versículo. E cada vez mais estes recortes bíblicos são associados a padres, pastores, púlpitos e presidentes americanos.

O paradoxo é claro para o olhar israelense: hoje, em muitas sociedades seculares, a religião em si obstrui a visão desta magnífica obra de arte. A Constituição dos Estados Unidos ajuda a bani-la das escolas públicas por confundi-la com um texto (somente, unicamente) religioso. Essa é uma triste perda cultural.

Como ateístas judeus, consideramos a religião uma grande invenção humana. Como tal, ela não é nem falsa nem forjada. Um cético pode entender as Escrituras judaicas, como outros textos sagrados, como sendo uma teia apócrifa de preconceitos. Um marxista pode considerá-las ferramentas de opressão, embora neste caso os opressores fossem, *nebish*, não mais grandiosos que um comboio de frágeis e esfarrapados rabinos. Um multiculturalista pode não achar na Bíblia nada que seja menos ou mais interessante do que qualquer outro empreendimento etnocultural.

Mas pelas nossas luzes seculares essas Escrituras e sua descendência textual são um legado de grandeza humana coletiva. Isso acontece porque somos privilegiados com uma nova visão de perplexidade. Precisamente a leitura crítica, seletiva e diferenciadora, a leitura moderna e secular, pode gerar um senso de grande admiração. Os que falam o hebraico moderno, uma língua que mal tem um século de idade, foram agraciados com um novíssimo bilhete de entrada para um espetáculo cultural antigo. E os não crentes entre eles podem apreender a noção de que tal espetáculo não tem roteirista-produtor divino. Nos bastidores, trabalham milhares e milhares de atores e autores históricos, estritamente humanos, que participam de uma linhagem de três milênios. É emocionante.

Nós não gostamos de tudo. Não atribuímos nem veracidade nem certeza científica a grande parte dela. Não somos atraídos moralmente por qualquer parte dela. Mas descobrimos tanta coisa verdadeira, boa e ilustrativa em partes da prateleira judaica que podemos alegar termos substituído a fé pelo enlevo.

Vamos discutir desconforto.

As sensibilidades, obsessões e ansiedades judaicas de forma alguma restringem-se a judeus, e tampouco são comuns a todos os judeus. Como comentou Sigmund Freud ao ser indagado sobre a tendência neurótica de seus patrícios: "Gentios também têm neuroses de sobra. Só que o judeu é mais sensível, mais crítico de si mesmo, mais dependente do julgamento dos outros. Tem menos autoconfiança que os gentios, e é mais ousado — tem mais *chutzpá* também — sendo que ambos provêm da mesma coisa". Logo, para Freud, poderia não haver um conjunto especial de neuroses judaicas, mas certamente havia uma propensão judaica especial às neuroses.

Todo traço judaico pode ser explicado em termos psico-históricos. Na era moderna ocorreu a algumas mentes que a judaicidade é uma adequada parábola para a humanidade como um todo. O "Judeu Errante" já não é uma amaldiçoada exceção mas um tipo global fundamental. "Todos os homens são judeus", teria ironizado Bernard Malamud, "embora poucos saibam disso." A própria universalidade de certas preocupações judaicas, especialmente em tempos modernos, explica o subjacente aspecto humano dessas preocupações judaicas. Se o mundo moderno adotou características judaicas tais como angústia existencial, inquietude nômade, múltiplas línguas e capacidades mediadoras — então o mundo moderno também é capaz de chorar com Primo Levi, rir com Mel Brooks e fazer as duas coisas com Philip Roth.

Alguns aspectos da sensibilidade judaica, porém, pertencem não ao campo da psicologia, mas aos caminhos mais enganosos da criatividade, do legado intelectual e do poder de permanência cultural.

Certos padrões de conduta se manifestam sempre que a criatividade judaica predomina, especialmente, mas não somente, em tempos modernos. O primeiro é uma peculiar loquacidade. Pense na interação entre as tradições oral e escrita em tempos bíblicos e talmúdicos. A interdição dos livros nunca ofuscou o amor pela fala. Judeus têm sido propensos ao palavreado em tempos de perigo mortal ou de conforto abundante, enfrentando Deus, seus cônjuges ou o senhor do feudo local, ao saudar compatriotas judeus ou completos estranhos. É uma verbosidade nervosa e alerta que se enrola ao redor de textos antigos com formulações novas. Judeus falam muito, muito mesmo, e discutem muito: isto sempre foi assim.

Quase todo o resto brota dessa loquacidade. É verdade que os personagens bíblicos são bem menos verbosos que os protagonistas da Grécia antiga, mas as declarações têm um impacto mais forte, às vezes até poder de mudar a história, na narrativa bíblica. A começar por Deus criando o mundo a partir de uma série de declarações sucintas, e Adão alegando que reina sobre os animais dando-lhes nomes. (Adão também dá nome à sua esposa, assim que ela dá o chute inicial na história humana atraindo-o para a árvore do conhecimento; mas a Bíblia não liga o ato de nomear ao domínio.)

Pense na propensão à discussão de Abraão a Seinfeld, ou de Sara a Hannah Arendt. A literatura judaica, das Escrituras até o stand-up, exibe um recorrente amor pela proposição contrária, o revide, a *chutzpá*. E esta irreverência verbal está enraizada num hábito constante de deliberação racional (se não emotiva) e num profundo senso de importância das palavras. Judeus sempre tentaram argumentar racionalmente com os outros, mesmo que estes outros jogassem conforme regras diferentes, não verbais, irracionais, brutalmente físicas e violentas. Quando um oponente era particularmente formidável ou ameaçador, a tentativa judaica de persuasão verbal podia ser trêmula, mas mantinha-se convicta. Pode ser por isto que Shakespeare, talvez a despeito de si mesmo, tenha dado o melhor trecho de oratória em *O mercador de Veneza* ao próprio e desprezível Shylock:

> Eu sou judeu. Não tem o judeu olhos? Não tem o judeu mãos, órgãos, dimensões, sentidos, afetos, paixões; alimenta-se da mesma comida, é ferido pelas mesmas armas. Sujeito às mesmas doenças, curado pelos mesmos meios, aquecido e resfriado pelo mesmo inverno e verão que um cristão? Se vós nos espetais, não sangramos? Se nos fazeis cócegas, não rimos? Se nos envenenais, não morremos? E se nos fazeis mal, não nos vingamos?

A vingança pode ou não vir em seguida, mas o Raciocínio efusivo, loquaz, com toda a certeza aí está, proferido numa tentativa desesperada de estabelecer uma ponte entre a "alteridade" insular do judeu e o continente da normalidade humana. Com frequência tal tentativa terminava de forma calamitosa, silenciada por algum golpe físico.

Para alguns observadores modernos, a "anormalidade" judaica é a origem da verbosidade judaica. Philip Roth, num livro cujo título faz referência ao mesmíssimo Shylock, tem um interlocutor explicando a loquacidade verbal judaica como sintoma da perpétua duplicidade e multiplicidade, pairando entre mundos e éons, de modo que "dentro de cada judeu havia tantos oradores! Cale um deles e outro fala. Cale-o também e há um terceiro, um quarto, um quinto judeu com algo mais a dizer".

Alguns desses judeus interiores estão sempre conversando (ou berrando) com seus ancestrais, desde os pais até os Patriarcas. Ou debatendo-se com textos que os ancestrais produziram, com ideias que os ancestrais promulgaram. Este hábito pode ajudar a explicar o papel deste livro. É por isso que nos sentimos no direito de colocar os antigos hebreus e os modernos judeus num continuum linear, não um continuum biológico, não étnico, nem mesmo religioso, mas um continuum verbal. Tantos pais produziram tantos textos para conversarmos com eles, polemizar contra eles, ou, nos termos de Roth, tentar em vão "fazê-los calar a boca".

Por trás das origens psicológicas e da precariedade emocional da loquacidade verbal judaica jaz uma confiança cerebral que não é nem trêmula nem neurótica. Freud, que explicou a sensibilidade e a *chutzpá* dos judeus como uma estratégia de sobrevivência a serviço de uma gente sem confiança, viu apenas parte do seu quadro mental. Pois há também um mecanismo analítico em andamento, incorporando grande confiança na razão e um peculiar senso de si mesmo. O tema em discussão jamais é uma mera plataforma de sentimentos, experiências e traumas. A pessoa é também o ativo buscador da verdade, o audaz afirmador da razão. Está em funcionamento não um mero instinto de sobrevivência, mas também um intelecto. Os judeus exibem uma crença profundamente arraigada no poder das palavras para criar e recriar a realidade, às vezes por meio da prece, mas com pelo menos a mesma frequência por meio da busca da verdade mediante argumentos.

Isto se liga com a procura dos judeus por igualdade social, econômica e política. Uma peculiar busca de justiça vai do profeta Moisés, com sua mentalidade social, ao pensador socialista do século XIX Moses Hess. Esta busca tem sido chamada *tikkun olam*, significando em tradução aproximada "o conserto do mundo", oriundo do cabalismo de Rabi Isaac Luria, o Santo Ari. Na Cabala, o *tikkun* envolve o reparo espiritual do nosso mundo fragmentário após "A Quebra dos Utensílios", uma catástrofe divina e moral. No século XX, as crianças israelenses gritam "os utensílios estão quebrados!" sempre que as regras de um jogo são infringidas.

A busca incansável pela justiça tem recebido muitos outros nomes, também. Em tempos modernos ela fluiu para dentro da corrente central do socialismo, do liberalismo e do comunitarismo. Pode dizer respeito à sociedade judaica autossustentável tradicional, o *kahal* ou *kehila*, mas também provê um ponto de partida para as principais linhagens ocidentais de universalismo e humanismo. Existe algo profundamente emocional nessa missão — basta dar uma olhada em Isaías 5 para um comovente relato de injustiça — mas mesmo assim é uma busca racional. O mal, para alguns profetas e sábios talmúdicos, era como uma declaração ilógica, ou como geometria ruim. A honestidade era uma linha reta, e a falsidade era torta.

Outra ramificação estreitamente relacionada ao modo judaico de lidar com palavras é o humor. Os judeus modernos provavelmente demonstram mais humor que seus antepassados, pelo menos a tomar como base a evidência escrita. Ainda assim, o segundo patriarca recebeu o nome de Isaac, "Aquele que vai rir", porque ambos os pais riram ao ouvir a promessa divina de que Sara teria um filho em idade já estéril. Como mencionamos, Sara e Deus embarcaram numa discussão bastante divertida nessa ocasião: "Então Sara negou, dizendo: 'Eu não ri'; pois estava com medo. E Ele disse: 'Não, mas tu riste sim'". Quantas religiões começaram com Deus brincando de "você também fez" com a matriarca ancestral?

Eclesiastes, de quem se diz ter sido o rei Salomão, assumiu uma visão bastante sombria do divertimento: "Eu disse do riso: 'Ele é louco'; e da hilaridade: 'O que se obtém com ela?'". O sóbrio, resoluto e magnificamente conciso hebraico da Bíblia raramente é jocoso. Na verdade, algumas das pessoas mais engraçadas na Bíblia não são absolutamente hebreias. O filisteu Achish, rei de Gath, desfecha um bom golpe ao dispensar Davi, que faz papel de bobo na sua corte: "De onde vós o trazeis para mim?", Achish repreende seus servos. "Faltam-me por acaso loucos, para me trazerdes este sujeito que banca o louco na minha presença?" Esta frase tem uma inquietante semelhança com o ídiche (*nu, oych mir a meshugener*). Teria o antigo humor dos filisteus alimentado de alguma forma o dialeto medieval germano-judaico? É um belo pensamento. Com frequência notamos que os israelenses e os palestinos de hoje compartilham um senso de humor comum.

Frequentemente cortante, na verdade autocortante, e às vezes abertamente autorridicularizador, o ídiche transformou o humor judaico em arte, e Groucho Marx e Woody Allen o transformaram numa marca universal. Freud não explicou por que entre os judeus medo, raiva ou prostração são tantas vezes, e com tanta eficácia, detonados em humor. O humor judaico é quase sempre verbal, portanto caracteristicamente muito mais Groucho que Harpo. A linguagem corporal, embora ricamente empregada, quase sempre tem servido como veículo para palavras engraçadas. A pantomima é quase não judaica.

A propensão a discutir e o humor geram aquele outro traço judaico, a irreverência. Muito peculiarmente para um povo de fé tão rígida, e com certeza nada típico das outras religiões monoteístas, a *chutzpá* judaica tem como alvo o profeta e o rabino, o juiz e o rei, o gentio e o patrício. O primeiro alvo registrado foi o próprio Todo Poderoso. Essa irreverência pode se associar à devoção de uma maneira distintamente estranha aos outros sistemas de fé, e exibe um temperamento mais democrático, para não dizer anárquico, do que outros sistemas políticos.

Existe algo de adolescente, eternamente pueril, nas atitudes judaicas em relação a Deus, rabinos e autoridades terrenas. O livro de Gênesis está cheio de pais e mães de vários tipos, bem como uma pletora de rebentos, todos sob o olhar paternal do Criador. Há profusão de rivalidade entre irmãos, e disputas intergeracionais. Significativamente, o termo *família* na Bíblia muitas vezes é equivalente a *nação*. E de todas as "famílias da terra", nas palavras do profeta Amós, a família israelita considerava-se mais próxima de Deus e mais responsável perante ele. "Apenas tendes que conheci todas da terra; logo, visitarei em vós todas vossas iniquidades." Note como família, nacionalidade, o imperativo verbal e a responsabilidade — portanto, a culpa — estão intercosturados desde os tempos mais antigos.

Isto realimenta a grande sensibilidade que já mencionamos: as crianças.

Durante incontáveis gerações, homens e mulheres judeus vivenciaram grande medo, geralmente bem fundamentado, pela vida de suas crianças. Mas não exclusivamente pela sua vida. O medo estava sempre associado com uma convicta recusa de deixar a escrita — no sentido real e figurado — do destino judaico. "E dirás a teu filho" tem seu lado sombrio: seu filho e sua filha tornam-se os portadores de uma antiga maldição, de uma história triste e, é claro, sujeitos a tudo que ameaçava um judeu medieval ou moderno. Nem toda a canja de galinha do mundo consegue imunizá-los contra esse risco.

Outro tema que acompanha cada frase significativa da história judaica é a simples multidão de personalidades fortes. Mulheres e homens ativos, vocais, povoam os registros bíblicos, as eras da Mishná e do Talmude, os séculos na Babilônia, a Idade de Ouro de Sefarad, as primeiras origens de Ashkenaz, e todo capítulo moderno da história judaica. Todas as histórias são feitas por pessoas fortes, é claro, mas estas não eram heróis típicos de livros. Com muita frequência transpirando tremendas fraquezas humanas, com mais frequência ainda do lado errado da história, carregando nos ombros seu legado comum de texto e recordação, compelidas a inserir significado em suas próprias vidas e nas vidas de outros. E há tantas delas, tantas que conhecemos pelo nome, e muitas vezes pela personalidade.

Seguramente os gregos tinham mais deuses, mas a Bíblia hebraica registrou mais seres humanos. Há muito mais protagonistas no Velho Testamento do que no Novo, mais *tanaim* mishnaicos e *amoraim* talmúdicos do que todos os pensadores gregos e romanos reunidos. Estamos falando de puros números, não da qualidade da produção. Os talmudistas não eram necessariamente pensadores melhores, nem os heróis bíblicos mais corajosos ou mais sábios do que contrapartes clássicos.

Mas note quanta gente, gente real e histórica, lota as antigas páginas hebraicas. Nenhum autor desejaria inventar tantos protagonistas, muitos dos quais são citados apesar de não terem qualquer papel significativo na trama. Os sábios talmúdicos são registrados às centenas — alguns estudiosos falam em milhares — cada um com sua sabedoria particular. Os rabinos medievais eram nomeados, citados e venerados numa época em que a cristandade concedia pouco ou nenhum crédito à autoria individual. Numerosos e diferentes personagens erguem constantemente a voz e abrem caminho a cotoveladas para fazer parte da história judaica. E a história judaica, do escriba real aos autores modernos, sempre foi particularmente boa em registrar nomes, delinear personalidades e fazer soar as vozes individuais.

Os fios históricos aqui reunidos não são nem exaustivos nem conclusivos. Não que todos os traços que examinamos tenham aparecido entre os judeus em todo lugar e tempo. Mas certos temas mantêm-se brotando nos anais judaicos. São eles as nossas referências geográficas.

Se a Palavra — falada e escrita, recitada e citada — é a verdadeira chave da continuidade judaica, então qualquer tentativa de construir ou demolir o pedigree físico judaico deve ser deixada de lado. Independentemente da obrigação de casar-se dentro do rebanho, declarada desde Esdras e Neemias até a corrente ortodoxia, a continuidade judaica nunca se calcou em linhagens sanguíneas. Os autores deste livro, talvez parcialmente descendentes daqueles emblemáticos khazares e cossacos, nada têm a dizer sobre uma presumida continuidade genética, racial ou étnica dos judeus. Pouco ligamos para narizes. Pouco ligamos para cromossomos, por mais fascinante que possa ser seu estudo. Nossa história "não necessita dessa hipótese", como certa vez Pierre-Simon Laplace disse a Napoleão. E tampouco necessitamos da hipótese da existência de Deus (na verdade, era disso que Laplace estava falando), nem da orientação divina do destino judaico. Nossa história não trata do papel de Deus, mas do papel das palavras. Deus é uma dessas palavras.

Portanto, os temas recorrentes que tornam a continuidade judaica tão persuasiva alinham-se ao longo de uma genealogia escrita e verbal. Não se pode ser judeu sem estar exposto a um certo léxico. A terminologia relevante posta por escrito praticamente desde o começo — primeiro em pedra, depois em rolos, mais tarde em códices e agora em telas. A escrita judaica, sagrada e profana, beneficiou-se enormemente de escritos judaicos anteriores (embora raramente apenas deles). O Povo do Livro exibe, portanto, longas linhagens que fazem perfeito sentido. Se você for leitor.

Nossa visão da nossa história em termos de genealogias verbais pode explicar por que escolhemos escrever este ensaio como equipe de pai-e-filha e, não menos importante, uma equipe de escritor-e-historiadora. "O passado é uma terra estrangeira", escreveu L. P. Hartley, e David Lowenthal fez desta citação uma sonora declaração historiográfica. De fato, muito do passado judaico, e meio a muito de todo o passado humano, também é estranho e desconcertante para nós.

Peguemos quatro figuras, quase ao acaso: a profetisa Débora, o rei Roboão, Rabi Akiva e o rabino Abraham Isaac Kook. Este grupo está consideravelmente espalhado pela linha do tempo judaica: século XII AEC (talvez), século X AEC (talvez), séculos I e II EC e séculos XIX e XX EC. Nenhuma dessas grandes pessoas é próxima destes autores em termos de seu mundo material e moral. Seus contextos de vida são, em diferentes graus, estranhos a nós. Seu comportamento, pontos de vista ou decisões podem nos parecer bizarros, estarrecedores ou mesmo chocantes. Desconfia-se que cada um dos quatro seria igualmente estranho aos outros, tivessem eles se encontrado em algum espaço a-histórico. Suas roupas, linguagem e atitudes iriam diferir drasticamente. Nem sequer falariam a mesma língua.

Exceto, é claro, que entenderiam um pouco de hebraico. Entenderiam os nomes uns dos outros, todos provenientes de originais ou raízes bíblicas. Débora, sendo a primeira, os três homens estariam dispostos — e seriam capazes! — de conversar com ela em seu próprio hebraico antigo. Além disso, teriam tópicos de conversa em comum: Jacó e suas doze tribos, Moisés e o Monte Sinai, a Terra de Israel e sua geografia natural e humana. Seria provável que suas respectivas pronúncias dos nomes fossem acentuadamente diversas, mas não totalmente incompreensíveis. Mais ainda, cada um deles certamente teria conhecimento de cada um dos outros que o precederam. Débora pode fitar incrédula os trajes do rabino Kook, mas os dois rabis e o rei olhariam Débora com reconhecimento e admiração, não importando seu vestido que nada tem a ver com o *shtetl*.

Todos os quatro compartilham uma identidade centrada na descendência israelita, um poderoso compromisso com seus ancestrais, uma grande preocupação com sua posteridade e magníficas maneiras com as palavras. Mesmo Roboão, com seus sarcasmos grosseiros — "Meu dedo pequeno é mais grosso que o lombo do meu pai"; "Ao passo que meu pai vos castigou com chicotes, eu vos castigarei com escorpiões" — tem algo de um déspota-poeta. Débora teria entendido cada palavra de Roboão, e obviamente também Akiva e Kook. Como seria a política entre eles? Como se relacionariam entre si, ou com os presentes autores, sobre as fronteiras necessárias e o tipo de governo de Israel? Os presentes autores, de fato, têm machados políticos para brandir contra os discípulos de Akiva bem como contra os de Kook. Mas seríamos capazes de conversar. Alguns termos seriam acessíveis a todos: povo, lei, conselho, aliança, fronteira. Outros — tais como Estado judeu e democrático — seriam desconhecidos de ouvidos antigos, mas não, assim pensamos, incompreensíveis. Estaríamos particularmente curiosos em saber em que partidos israelenses modernos Débora ou Akiva votariam.

Acima de tudo, cada membro do nosso quarteto compreenderia plenamente, e não ficaria minimamente surpreso em saber, que estamos nos colocando a todos num mesmo continuum.

Distância e diferença não devem ser subestimadas. No que diz respeito a nós, não existe nada místico ou milagroso — nada divino — em relação a continuidades judaicas. Nós não admiramos, e muito menos idolatramos, nossos grandes antepassados. Alguns atenienses antigos são mais caros aos nossos corações do que a maioria dos israelitas bíblicos.

Por que, então, há tanta coisa nos textos judaicos, já desde os mais antigos, que soa alto, claro e familiar para nós? Somos atraídos por essa multidão de personagens dramáticos que habitam os textos hebraicos e judaicos. Há tanta carne, sangue e voz. E há momentos ocasionais de misteriosa intimidade.

Tal intimidade não se limita, é claro, a textos judaicos. Antígona pode despertar um senso de reconhecimento pessoal, Santo Agostinho pode gerar uma reação emocional, Dom Quixote pode articular sentimentos profundos, e quase nada do que é humano é estranho a Tchékhov. Estas fontes não são menos enfeitiçantes, menos atraentes, do que qualquer coisa nos livros judaicos. Para nós, partes do passado judaico nos são muito distantes, enquanto alguns legados não judaicos são distintamente próximos.

Devemos portanto acrescentar um limite mais definido à linhagem de textos e pessoas judias. Existe algo de singular na criatividade voltada para o passado dessas multidões de literatos judeus, seus registros cumulativos e sua capacidade de continuar falando e fazendo sentido uns aos outros ao longo de vários períodos de tempo, atravessando línguas e culturas. Eles estão todos falando entre si. Como uma discussão constante numa interminável ceia de Shabat, não é a semelhança ou mentalidade semelhante que mantém a chama acesa; é o léxico de grandes questões e profundas familiaridades.

Desnecessário dizer que não podemos saber — especialmente em relação aos tempos antigos — quem foi "figura histórica" e quem foi mito. Não podemos saber quem "realmente" fez ou escreveu o que se alega que tenha feito ou escrito. Temos curiosidade a respeito, mas não importa realmente. Verdade histórica não é verdade arqueológica, disse Ahad Ha'am. A história pode transportar uma verdade genuína por meio de figuras ficcionais, alegorias e mitos. E um talmudista do século IV disse que o Jó bíblico nunca existiu, que foi uma fábula. Outros sábios argumentaram contra ele, mas a teoria do Jó ficcional foi devidamente incluída no Talmude. Por que não foi varrida da lousa como blasfema ou indigna? Porque — ou assim gostaríamos de pensar — o Talmude antecipava e aceitava o nosso ponto: fábulas podem contar uma verdade. Ficção não é um gracejo. Jó existiu, tenha ou não existido "de verdade". Ele existe nas mentes de incontáveis leitores, que o discutiram e debateram sobre ele por milênios. Jó, como Macbeth e Ivan Karamazov, existe como verdade textual.

O que nos move é a descoberta gradual de que — pelas nossas luzes, pelas nossas luzes de leitura — somos herdeiros dessa procissão de assinantes dessa biblioteca sempre crescente. De que os judeus, tendo acumulado tamanho tesouro de estrutura referencial, tendo falado, escrito e lido abrindo caminho através de tantas eras e tantos desastres, criaram uma genealogia de familiaridade que é única.

Assim, para nós, por exemplo, não Roboão mas Jó é um correspondente intuitivo. Não Rabi Kook, o Velho, mas Amós o profeta e Ahad Ha'am o ensaísta são aliados na busca pela justiça e paz humanas. Não Débora a amazona radiante, mas Débora a mãe sarcástica é estranhamente reconhecível para nós, com sua ferocidade doméstica, cortantemente articulada. Não Rabi Akiva, que forçou seus alunos a uma rebelião condenada, mas Rabi Yehuda HaNassi, um fugitivo e resgatador da erudição, do lado perdedor da história militar mas do lado vencedor da história intelectual, é o nosso irmão de armas político.

Essas são as nossas preferências. Todo leitor tem a tendência de ter as suas, e provavelmente contestar as nossas, talvez com veemência. Mas se você é um leitor desses, judeu ou não, já é parte da nossa família. E todas as famílias funcionais, nos é dito, dependem de botar as discordâncias em palavras.

2. Mulheres vocais

Consideremos o começo do Cântico dos Cânticos.
"O Cântico dos Cânticos", está dito, "que é de Salomão."
É mesmo? E de que maneira? Foi escrito, como nos contaram gerações de sábios e eruditos, pelo rei Salomão? Ou, como alegam os acadêmicos modernos, é tradicionalmente atribuído ao rei Salomão?
Talvez seja de Salomão, mas de uma maneira diferente. Dedicado *a* Salomão. Escrito *para* Salomão.
Por quem?
Eis aqui uma ideia que faz sentido psicológico e gramatical para nós. Vamos dar uma olhada também no segundo versículo do livro.
"'O mais belo cântico de Salomão. Que me beije com beijos de sua boca! Teus amores são melhores do que o vinho.'"
Muito lindo, não? E também bastante fortuito. Note que todas as três pessoas gramaticais, no singular, aparecem nessas duas compactas linhas. Há um "me". Há um "teu". Há Salomão e "ele".
Quem está falando?

Sábios e eruditos nos dizem que o Cântico dos Cânticos é uma alegoria, referindo-se ao amor de Deus por Israel, e ao amor dos judeus pelo seu Deus. Em primeiro lugar, esta leitura permitiu a entrada de um texto altamente erótico no cânone bíblico. É interessante, mas não o bastante para mitigar a nossa curiosidade. Quem são "ele", "me" e "teu"?

Não aceitamos a explicação de Deus-como-amante. Se Salomão está convidando Deus a beijá-lo com beijos da sua boca, o que é — em poucas palavras — bem mais Tel Aviv que Jerusalém, os versos seguintes nos confundem ainda mais. Eles apontam para uma atração bem física, heterossexual. "O odor dos teus perfumes é suave [...] e as donzelas se enamoram de ti."

Então quem é que está falando?

Deixe-nos lhe mostrar uma pequena mágica, em hebraico. "Que é de Salomão" em hebraico é *asher li-Shlomo*. אשר לשלמה.

Agora acrescentamos uma letra, a menor letra do alfabeto hebraico, o *yod*. O verso modificado é *ashir li-Shlomo*. אשיר לשלמה.

Assim, a abertura do nosso livro agora diz:

"O Cântico dos Cânticos cantarei para Salomão", o que flui suavemente para: "Que ele me beije com os beijos da sua boca — pois teu amor é melhor que o vinho".

Tudo entra no lugar se quem canta o Cântico dos Cânticos é uma mulher, iniciando sua canção de amor por Salomão numa primeira pessoa declaratória, apenas para passar de forma delicada e íntima para a segunda pessoa. Teu amor. Teus unguentos. As donzelas te amam.

Não estamos falando aqui de verdade histórica. Ninguém sabe quem escreveu o Cântico dos Cânticos, nem se é ligado ao rei Salomão histórico. Mas sabemos sim que a linguagem oculta segredos. Introduzindo uma pequena letra hebraica no verso de abertura, podemos ter revelado um novo autor. Uma mulher.

Vamos chamá-la de Abisag. Houve uma Abisag de Sunam,

uma jovem e bela mulher convidada a aquecer a cama do idoso Davi à noite. A amada anônima do Cântico dos Cânticos é a Sunamita (ou Sulamita), que pode referir-se à Abisag histórica ou a uma amante alegórica. Portanto, se a nossa Abisag emblemática realmente redigiu partes do tomo mais erótico da Bíblia, ela seguramente deve ser considerada como uma das grandes mulheres poetas da Bíblia, junto com Miriam e Débora, e da literatura mundial em geral, junto com Safo e Emily Dickinson.

Durante muito tempo, a historiadora entre nós pensou que o romancista entre nós tinha inventado o truque de mudança de texto, este minúsculo *yod* subversivo. E talvez tenha de fato, por conta própria. Mas, felizmente, um ou mais estudiosos modernos nos precederam em considerar "ashir le-Shlomo", numa voz feminina, como alternativa viável para o texto bíblico oficial. Não obstante, na história das ideias, o ponto crucial é quando um conceito adquire um contexto novo. Hoje, nossa Sunamita vocal acaba de adquirir significado. Devemos revisitar aquelas fortes mulheres israelitas falando e cantando Bíblia acima e abaixo, pois elas fornecem uma significação lapidada para Israel do século XX e os judeus dos dias atuais.

Atualmente, algumas poderosas comunidades judaicas não desejam ouvir mulheres cantando. Nem no palco, nem em cerimônias civis ou militares, nem mesmo no chuveiro. Enquanto este livro está sendo escrito, um acalorado debate pega fogo em Israel acerca da exigência dos judeus ultraortodoxos de silenciar vozes femininas e apagar ou borrar imagens de mulheres na esfera pública. Alguns anunciantes e produtores de eventos já estão respeitando tal exigência. A face, o corpo e especialmente a voz de uma mulher, nos dizem numerosos rabinos, pertencem ao âmbito do lar. Virtude e recato, especialmente dos homens, estão em jogo. Mulheres judias são princesas, dizem os líderes espirituais, e sua dignidade e beleza são mais bem mantidas quando fora das ruas.

Não é a Bíblia que nos diz: "Toda a honra da filha do rei está dentro de casa" (Salmos 45,14)?

Na verdade, não. O salmo relata, em colorido detalhe, como as noivas estrangeiras de Salomão, filhas de realezas vizinhas, eram *levadas para dentro* do palácio de Jerusalém em toda sua glória festiva. Na verdade, há tanta parafernália chique listada nesse capítulo específico que se pode desconfiar que o escriba da corte, apresentando-se nos versos iniciais como o "escriba ligeiro", *sofer mahir,* do rei, estivesse ele próprio envolvido nessa campanha de moda importada. Difícil imaginar que ele queira que as mulheres permaneçam escondidas atrás de venezianas fechadas. Cortinas de palco parecem ser mais o seu feitio.

Mas gerações de sábios e rabinos usaram "toda a honra da filha do rei está dentro de casa" para manter as mulheres longe do olhar público. Maimônides certamente o fez. Uma mulher, escreveu ele no *Mishneh Torah,* não é de forma alguma prisioneira em seu próprio lar. Não obstante

> É grosseiro para uma mulher sempre sair de casa, desta vez para sair e outra vez para ir à rua. De fato, o marido deve impedir a esposa de fazer isto e não permitir que saia mais do que uma ou duas vezes por mês, conforme seja necessário. Pois não há nada mais atraente para uma mulher do que sentar-se no canto de seu lar, pois "toda a glória da filha do rei está no interior". [Mais uma vez Salmos 45,14, aqui traduzido de acordo com a interpretação de Maimônides.]

Não nos opomos ao hábito rabínico, velho e novo, de ficar brincando com os significados de versículos antigos. Como poderíamos? Neste livro estamos fazendo exatamente o mesmo. Mas há algumas diferenças. Ao contrário dos ultraortodoxos, não estamos tentando denunciar, confinar ou silenciar ninguém. Mais especificamente, nossa abordagem ao ato em si da interpretação é diferente da dos rabinos tradicionais. Para nós, as regras são algo assim: Leia em círculos crescentes ao redor da sua citação em vez de arrancá-la do contexto. Preze mais a descoberta e a surpresa do que o seu próprio plano. Reconheça as imperfeições dos textos e autores de que você gosta. Olhe bem para ver a lógica interna de um parágrafo, de uma página, de um capítulo.

A Bíblia está repleta de mulheres "saindo às ruas". Desculpe, Maimônides. E tem uma porção de mulheres cantando fora de casa, para públicos mistos. Miriam cantou, tocou tambor e possivelmente dançou na frente de um povo inteiro. Débora cantou seus próprios versos da própria cadeira do governo, executando um dueto com seu chefe de gabinete. Ana pode ter enviado sua poética prece de gratidão sozinha em casa, mas ela obviamente chegou à mídia, e ocupa uma boa parte de 1 Samuel 2. Essas senhoras, e talvez nossa poeta e cantora Abisag, e as três filhas da família cantora de Hemã são apenas a corcova do camelo. Há muitas outras.

"Todas as mulheres" da geração do Sinai, o Êxodo nos conta, seguiram Miriam regozijando-se e batendo tambores. O 1º Livro de Samuel relata que mulheres de "todas as cidades de Israel" cantaram, "tocaram" e bateram esses tambores depois que Davi matou Golias: "Saul matou seus milhares, Davi suas dezenas de milhares!". Pergunte ao rei Saul o que ele achou desse coro feminino por toda a nação. Garantimos que o gênero foi o menor de seus problemas.

Todavia, a gramática hebraica é notoriamente chauvinista. As formas masculinas prevalecem e as femininas geralmente seguem atrás, suspirando sob um sufixo extra. Se houver um homem no grupo e mil mulheres, o pronome plural ou a forma verbal serão masculinos.* Todo mundo sabe que a Bíblia e sua linguagem são profundamente patriarcais.

---

* Em hebraico, ao contrário do português, as formas verbais são flexionadas no masculino e no feminino. (N. T.)

Mas por que o mesmo hebraico bíblico torna-se quase feminista quando lhe dá na veneta? Em muitos lugares, conta-se especificamente sobre "cantores e cantoras". Em vez de soterrar as cantoras sob a forma genérica totalmente masculina, em vez de fazer com que todos cantem sob o manto do substantivo ou verbo masculino, vários livros diferentes, presumivelmente escritos em períodos diversos, repetidamente enfatizam o feminino junto com o masculino. O que explica esta súbita sensibilidade ao gênero?

Pensamos poder imaginar a resposta. Quando ambos os gêneros gramaticais são mencionados, algo está sendo enfatizado. Peguemos o caso individual de Velho Barzilai. Não se preocupe se você nunca ouviu falar dele. Era simplesmente um octogenário bem relacionado que conseguiu entrar na Bíblia queixando-se com seu amigo rei Davi, como às vezes fazem os velhos, de incapacidades ligadas à idade: que não conseguia mais distinguir o bem do mal, sentir o sabor do que comia e bebia, ou ouvir os cantos de homens e mulheres. Em sua recorrente maré de incapacidade, a surdez às vozes de mulheres cantoras é o golpe final. Se não acredita em nós, pergunte a Davi, que evidentemente compreendeu o relato feito por Barzilai sobre seu declínio cognitivo. Então o rei, como nos conta o 2º Livro de Samuel, afinal concordou de má vontade em não arrastar seu idoso amigo consigo para Jerusalém. O autor bíblico pode ter desejado louvar o bom senso de Davi, e este seria o ponto central da história, mas aos nossos ouvidos, quase três milênios depois, é o distinto cantar feminino que reverbera como a moral da história atualmente relevante.

Existe então outro tipo de ênfase, uma ênfase nacional, visível em diversas menções bíblicas de cantar intersexual. Chegando de volta a Sião do Cativeiro Babilônico, duzentos cantantes homens e mulheres marchavam entre os judeus repatriados. Mesmo comentaristas talmúdicos e pós-talmúdicos não pareceram se importar. "Homens e Mulheres para cantar na estrada, pois subiram em júbilo e passeio", explicou o exegeta do início da era moderna, rabino David Altschuler, ou talvez tenha sido seu filho Hillel Yechiel Altschuler (seus comentários bíblicos bigeracionais são conhecidos como as *Metzudot*). Havia aqui um lampejo perspicaz: numa Israel antiga, dominada pelos homens, as celebrações eram realmente jubilosas quando homens e mulheres se regozijavam juntos. Quanto mais misturado, mais feliz.

De Miriam a Esdras, da travessia do Mar Vermelho ao regresso da Babilônia, a Bíblia empresta sua dualidade de gêneros precisamente aos momentos coletivos de exultação. Paredes gramaticais se abrem quando autores desejam descrever como todo um povo caminhou junto da escravidão para a liberdade. Para os hebreus, a liberdade atravessava barreiras sexuais e sociais. Assim como a alegria.

Esperamos poder justificar nossa posição. Vamos dividir rapidamente com você dois pensamentos ecléticos finais.

O primeiro é o seguinte: sociedades patriarcais nem sempre são o que parecem. As linguagens patriarcais têm truques nas mangas. As matriarcas bíblicas eram em número maior que os patriarcas, quatro para três; e suas personalidades são dificilmente menos memoráveis. Às vezes, se você lê com bastante cuidado, pode detectar uma gramática e uma linha narrativa alternativas brotando cautelosamente.

E o nosso segundo pensamento: você notou que Rabi David Altschuler, ou talvez seu filho, chamou o Regresso a Sião de "passeio" (*tiyul*)? Este era um substantivo bastante raro até o hebraico moderno apossar-se dele, embora tenha aparecido sim uma vez na exegese talmúdica de Rashi, no século XI. Achamos bastante estranho chamar o primeiro retorno nacional do exílio de passeio, mesmo que soe como uma caminhada no parque comparado com o segundo retorno nacional do exílio no século XX. Imaginemos então que o bom rabi, pai ou filho, pudesse ter em mente o *spazieren* do alemão/ídiche. Talvez tenha sido um dia de primavera em Praga — ou teria sido em Jaworów na Galícia? — e, ao imaginar a grande marcha da Babilônia para Jerusalém, simplesmente sentiu como que uma breve pausa da sua vela escorrendo sobre a escrivaninha embolorada.

Antes de passarmos para mulheres não musicais, vamos fazer uma pausa também, com uma pequena digressão sobre o rei Davi.

O rei Davi era um mulherengo. E nem um pouco refinado. Quando jovem, vitorioso sobre Golias, foi louvado e cantado pelas mulheres "de todas as cidades de Israel". Quando velho, pode ter tido uma grande mulher poeta na sua cama. Nesse meio-tempo, teve um bom número de esposas; por certo menos que seu filho Salomão, mas indiscutivelmente mulheres mais interessantes.

Em seu livro *O mesmo mar*, o romancista entre nós deu a Davi um tratamento lírico por meio dos olhos de uma jovem israelense moderna, num capítulo chamado "Davi segundo Dita":

Como o dia declinou. Quando falávamos sobre o rei Davi, como foi que
chegamos a falar sobre ele? Você se lembra? Uma noite de sexta-feira na casa do Uri
ben Gal,
na rua Melchett. Você me puxou para fora da festa, para a varanda, e na janela em frente um homem musculoso, vestido com uma camiseta e a
sua solidão, limpava
os óculos contra a luz. Colocou-os, viu que o estávamos olhando e baixou a veneziana. Então por causa dele você me contou
o que te atrai em um homem: tipo Charles Aznavour, ou Yevgueni Yevtuchenko. Deles, você passou ao rei Davi. O que te

atrai é um lado faminto, um lado sacana e um lado sonso.
E ainda me mostrou da varanda, naquela noite,
como Tel-Aviv é uma cidade banal, áspera, sexy.
Não se vê pôr do sol nem estrela, só se vê como o reboco
descasca por excesso de adrenalina, cheiro de suor e diesel, cidade
cansada que não quer dormir no fim do dia — quer sair, quer ver o
que acontece, quer que termine, e quer mais e mais. Mas Davi, você
disse
reinou trinta anos em Jerusalém, a austera cidade de Davi, que ele
não suportava e que não o suportava, com seu frenesi, inquietação
e
exuberância permanente. Combinaria muito mais com ele se rei-
nasse em
Tel-Aviv, desse umas voltas pela cidade como general de reserva, e
ao mesmo tempo pai
enlutado e conhecido mulherengo, bon vivant infatigável e rei,
compositor
e poeta. Daria às vezes um belo recital de salmos num centro cultural
e de lá esticaria num pub, para beber em companhia dos tietes,
moças e
rapazes.*

    A exegese talmúdica sobre o estilo de vida do rei Davi é bem mais brusca. Uma história suculenta conta que Davi se recusa a casar com Abisag porque já tinha dezoito esposas, mais que o suficiente para sua felicidade matrimonial. Aliás, dezoito também é um número típico correlacionado com as letras hebraicas que formam a palavra *vivo*. Em todo caso, segundo este conto talmúdico, a persistente Abisag zomba então de Davi, alegando que ele

---

* Amós Oz, *O mesmo mar*. Trad. de Milton Lando. São Paulo: Companhia das Letras, 2001.

estava simplesmente velho demais para tal tarefa. Então Davi chamou sua esposa Batsheva e — a acreditar-se em Rav Yehuda — desempenhou suas funções com ela treze vezes. Este também é um bom número simbólico na tradição judaica.

Contudo, tipicamente talmúdico, lamentamos dizer, é que a história é injusta com as mulheres bíblicas. Algumas das esposas e amantes de Davi eram evidentemente sofisticadas, de personalidade forte e voltadas apenas para si mesmas, inclusive a princesa de língua afiada Micol, a quase perfeita Abigail (uma beleza "de bom cérebro") e a imperiosa Batsheva, a vitoriosa genética, mãe de Salomão.

Agora vamos nos dedicar a um episódio na meia-idade do rei. Trata-se da presença de Deus numa multidão mista, e um certo tipo de equidade de gênero.

Quando Davi trouxe a Arca da Aliança para sua nova morada em Jerusalém, foi tomado de júbilo e "dançou perante o Senhor com toda sua força" em trajes sumários. E também entregou um presente igual de três diferentes doces "entre todas as pessoas, entre toda a multidão de Israel, de homem para mulher". Mas a esposa de Davi, Micol, ela própria filha de um rei, ficou repugnada. "Quão honrado foi hoje o rei de Israel", comentou ela sardonicamente, "que se descobriu hoje diante da vista de suas servas, de igual modo que um joão-ninguém se descobre desavergonhadamente!" Talvez Micol fosse a voz hipócrita da Jerusalém ultraortodoxa, como diria a Dita de *O mesmo mar*. Ou talvez fosse simplesmente uma esnobe.

Desta vez, tiramos o chapéu para o marido. O rei de Israel respondeu à esposa com grande dignidade e profundidade. Foi diante do Senhor que eu me regozijei, Davi disse a Micol. "E serei ainda mais vil que isto, e me rebaixarei aos meus próprios olhos; e com as servas de que falaste, em sua companhia hei de ser honrado!"

Que se danasse a distinção de classes, e a conduta de classe, na antiga Cidade de Davi. O autor dessa história termina, com mão bem pesada, dizendo-nos que Micol não teve filho até o dia de sua morte. Querendo dizer, é claro, que Deus tampouco apreciou seus comentários arrogantes.

Mas o que chama a atenção é a disposição de Davi para ser vil, sua inclinação a autorrebaixar-se diante de Deus e — mais ousado ainda — diante do mundo e de sua esposa (referimo-nos aqui à esposa do mundo, e pior, à esposa de Davi). Muitos séculos depois, este estado de espírito tornar-se-ia uma rocha de fé judaica bem como de humor judaico. Sob muitos aspectos, o rude rei de Israel, que pode ter vivido na virada do primeiro milênio AEC, foi um israelita muito judeu. Muito humano, também, cheio de fraquezas e paixões ardentes, fundindo arrogância com autodepreciação.

Neste livro usamos a convenção AEC, "antes da era comum". Mas Davi era genuinamente AC, um ancestral biológico de Jesus Cristo, segundo os Evangelhos de Mateus e Lucas. Jesus talvez tenha herdado do vovô Davi a dádiva de humildade e intimidade com o divino, mas não suas paixões abertamente sensuais e orgulho régio. Ambos, porém, foram muito amados pelas mulheres.

O que podemos deduzir da "honra com as servas" de Davi? Ele não era de forma alguma feminista. Tampouco era um líder social. Seu argumento é agudo precisamente porque servas não eram iguais nem mesmo a servos, muito menos a reis. Além disso, a insistência em dar presentes iguais de comida a todos os súditos, igualmente a homens e mulheres, pode sinalizar um aspecto único. Geralmente os fortes ganhavam mais que os fracos, e os homens mais que as mulheres.

Mesmo as maravilhosas leis sociais da Bíblia não se baseiam em igualdade. A viúva necessitada é sempre uma mulher, o senhor proprietário responsável pelo seu bem-estar é sempre um homem.

As leis mosaicas raramente são cegas a gênero. Podem estipular o que os filósofos hoje chamam "justiça distributiva", mas não na matriz moderna que visa colocar todas as pessoas num plano igual. A Bíblia não é igualitária, mas os humildes devem ser tratados com respeito; eles merecem justiça (e não caridade) e têm voz.

Outro modo de equidade está escondido nesta história. Sempre que tem lugar um acontecimento grandioso, de orientação divina, homens e mulheres estão nele juntos: cantando, como vimos, e dançando, ou tomados de reverência e temor e emudecidos — mas juntos. Quando um autor bíblico queria nos dizer que algo momentoso estava ocorrendo, descrevia homens e mulheres em regozijo (ou sofrimento) juntos. Para Davi, ficar feliz "perante o Senhor" significa dançar diante de homens e mulheres. Estilo Tel Aviv. Parece que Deus estava mais presente entre os antigos israelitas sempre que o acontecimento era grande o bastante para envolver seu povo inteiro, atravessando suas divisões, sexuais bem como sociais.

Ainda assim, uma afirmação de equilíbrio se faz necessária. Em numerosas situações na Bíblia, bem como na literatura judaica pós-bíblica, as mulheres são marginalizadas, silenciadas, separadas. A maioria das tradições judaicas pode ser rotulada com justiça de chauvinista pelos padrões atuais.

Mas estamos à procura de fios significativos, não de atitudes majoritárias. As linhagens que aqui identificamos, a linha davidiana de aglutinação popular intergenérica diante de Deus, a linha de Abisag de erguer assertivamente a voz feminina, são cruciais para a compreensão de muitas coisas judaicas, naquela época e agora.

A Bíblia. Não o Talmude, nem a literatura rabínica, nem qualquer literatura judaica antes do século XIX. A Bíblia é plena de pessoas femininas poderosas, ativas, vocais, verbais, individualizadas, cada uma com sua própria personalidade.

Numerosas mulheres são mencionadas pelo nome. Com toda a certeza, menos do que homens, mas as que são mencionadas desempenham papéis numa enormidade de tramas com entusiasmo e espírito. Algumas mulheres mudam ativamente, às vezes sozinhas, a história israelita. Fato ou mito, e a história-dela bem como a história-dele, desde o Gênesis até Neemias. Dois livros, Rute e Ester, recebem nomes de mulheres. O Cântico dos Cânticos, conforme sugerimos, pode ter sido narrado por uma mulher. As mulheres israelitas documentadas não são incontáveis, mas requerem contagem, e certamente contam.

As filhas de Jó saltam à mente. Não as três sem nome que morreram junto com seus sete irmãos no começo da sinistra fábula moral, mas as que nascem no final do livro, emblemas da compensação e reparação divinas, ainda que de uma forma alheia às sensibilidades modernas. Nascem sete novos meninos, mas estes são deixados sem nome. Três meninas nascem e o livro as nomeia, completando a história: Jemima, Quézia e Kéren-Hapuque. Meninas de sorte. Não apenas são registradas para a posteridade, não apenas são explicitamente lindas além de qualquer competição, mas estas mulheres também herdam em paridade com seus irmãos. "Não havia em toda a terra mulheres mais belas que as filhas de Jó; seu pai lhes repartiu heranças como a seus irmãos." Então o final feliz, o final de conto de fadas deste rígido relato moral, envolve reconhecimento individual e direitos de propriedade iguais para as mulheres. Grande Jó.

E a coisa fica ainda melhor no livro apócrifo *Divrei Iyov*, o Testamento de Jó. Ali o ressuscitado Jó divide seus bens mundanos entre seus sete filhos, e quando as moças reclamam ("Não somos nós tuas crianças?"), ele retruca que heranças melhores estão reservadas para elas. Ele presenteia suas filhas com guirlandas celestiais, que revolvem "um novo coração" dentro delas, e elas entoam "hinos angelicais" ou exprimem "o dialeto dos governantes celestes". Seus presentes, então, dão origem a palavras de ordem superior. A frase mais bela diz respeito a Jemima, a mais velha: "E ela articulou na linguagem dos anjos, e enviou sua canção a Deus, como os cantos proferidos pelos anjos, e os vocábulos que expressou — o vento os escreveu em seu vestido".

E nós achamos que é magnífica, a Via do Vento com Vocábulos.

Mulheres bíblicas aparecem em todas as idades e formatos, traços físicos e de personalidade. Nem todas são israelitas. Nem todas são socialmente proeminentes. Muitas estão profundamente comprometidas com a família, algumas são altamente empreendedoras. Podem ser irritantemente inovadoras ou profundamente tradicionais, ou as duas coisas ao mesmo tempo. Quase todas as mulheres bíblicas são, de algum modo importante, agentes de continuidade. Mas a própria continuidade muitas vezes requer uma ousada originalidade.

Elas não seguem o padrão grego — ou deusas ou heroínas mortais. Não seguem o padrão medieval — ou santas ou prostitutas. Não seguem o padrão europeu — aristocracia, burguesia ou classe baixa. Não seguem o padrão britânico — para o alto ou para baixo — embora suas tendas às vezes sejam tão intrincadas quanto um castelo feudal. As mulheres da Bíblia são tão diversificadas que simplesmente habitam todo um espectro humano.

Aí vai o nosso desfile de mulheres ativas. Reconhecemos que, sim, deixamos algumas de fora. Não estamos listando todas as mulheres da Bíblia hebraica, apenas algumas das realizadoras e agitadoras mais interessantes.

Eva, Mãe de Todo Ser vivo. Ela esteve no início de tudo, mas seu próprio começo é ambíguo. Deus a cria, sem nome e igual ao seu parceiro, em Gênesis 1, onde a vida é soprada para dentro de um Adão-homem e Adão-mulher juntos. Se você não acredita, dê uma olhada no versículo 27. Mas aí vem Gênesis 2, e Deus cria a Mulher novamente, desta vez da costela de um Adão-apenas-homem. Em Gênesis 3, depois da árvore e da serpente, Adão lhe dá o nome de Eva. Justo quando o casal está se vestindo para deixar o Jardim do Éden. Pode-se dizer que houve mais de um autor bíblico em ação, forçando visões diferentes para o equilíbrio homem-e-mulher. Até que um dia, sabe-se lá, um editor cansado deve ter resolvido, vamos deixar as duas histórias e que o leitor escolha a versão melhor ou explique e dê fim à discrepância.

Atrás das costas nuas de Eva paira Lilite, um demônio feminino inserido na história em tempos talmúdicos, provavelmente por um misógino barbudo. Mas vamos usar nossa licença poética e insistir em mencionar Lilite no nosso desfile de mulheres bíblicas. A Bíblia hebraica jamais permitiu a Lilite espantar toda a sexualidade das protagonistas "comportadas". Como a própria Eva, muitas de suas mulheres fortes combinam uma presença sexual com poderosos apetites e uma verve cerebral: no caso de Eva, a curiosidade. Achamos que a maioria das grandes mulheres da Bíblia tem uma Lilite dentro de si, embutida nelas: ambição, energia e desejo.

Sara, matrona e manipuladora. Rebeca, primeiro doce e cordata, mais tarde matrona e manipuladora. Lea, não amada, sexualmente sofisticada e manipuladora. Raquel, amada, sexualmente sofisticada e manipuladora. Elas formam quatro matriarcas diferentes. Não trataremos delas aqui, mas — como já foi mencionado — sua vantagem numérica sobre os patriarcas é interessante para nós. Não é meramente um aspecto da antiga poligamia, estas quatro mulheres têm personalidades que cumulativamente ofuscam seus três venerados maridos. Todas as quatro são fortes e impositivas à sua própria maneira, mas cada uma é um mundo em si.

Pode ser necessária uma aldeia para criar um filho, mas é

preciso mais de uma mãe (ou um *tipo* de mãe) para criar uma nação.

Aí vem o maravilhoso time do Êxodo. Nada menos que seis mulheres talentosas trouxeram Moisés ao mundo e o mantiveram por aqui. A mãe Joquebede e a irmã Miriam, é claro. E também as parteiras Sifra e Pua, que não estão nos registros como aquelas que trouxeram Moisés à luz, mas inspiraram sua família resistindo ardorosamente às ordens do faraó de matar todos os bebês hebreus do sexo masculino. O terceiro par é composto da filha do Faraó e sua atenta criada. Maternal e humanamente corajosas, planejando com cuidado e cooperando habilmente, este sexteto improvável superou em espert234 um mau governo e leis brutais. Juntas, salvaram o menino que viria a se tornar salvador de um povo.

Quantos homens judeus notaram, no decorrer desses longos milênios, que devemos o maior filho e líder da nação à engenhosidade e coragem de quatro mulheres hebreias e duas egípcias? E onde estava exatamente o pai Anrão? Tomando um trago no bar?

Vamos encontrar alguns outros maridos passivos e pais ausentes à medida que a narrativa bíblica flui adiante. O próprio Moisés, não estranho ao medo e à fuga, felizmente cresceu para ir ao encontro dos padrões estabelecidos por sua mãe e sua irmã. Mas, ao contrário delas, tirou vidas tanto quanto as salvou.

E já que mencionamos Shifra e Pua, vamos lhes dar o devido crédito: como parteiras, são as primeiras profissionais mulheres mencionadas na Bíblia. Não entram nos registros como filhas nem esposas de ninguém. Simplesmente, exercendo sua profissão, se viram no papel de rebeldes políticas, papel que desempenharam com grande ímpeto. Instruídas a matar todos os hebreus recém-nascidos do sexo masculino, ignoraram descaradamente as ordens do rei. Essas mães hebreias não são como as egípcias, Shifra e Pua informaram ao sanguinário faraó; são fortes e vívidas, dando à luz rapidamente, antes de nós chegarmos lá.

Agora, a mãe de Sócrates, Faenarete, também era parteira, em Atenas no século V AEC. Seu nome quer dizer "Aquela que traz a virtude à luz", e Sócrates orgulhava-se de sua "nobre e corpulenta" mãe. Mas seu papel, segundo o relato de Platão, é meramente fornecer uma metáfora para a "arte de fazer o parto" filosófico do próprio filho, trazendo à luz ideias das mentes dos homens.

Navegamos adiante no livro de Êxodo e aí está Miriam de novo, adulta e cheia de carisma: líder, profetisa, cantora-compositora, o espírito vivo das doze tribos. Mas não fiquemos nacionalistas demais: grandes mulheres não israelitas passam marchando, deixando as marcas profundas de suas impressões digitais na pele da história judaica. Hagar, a esposa de Potifar, Séfora (no seu caso não é na pele, é no prepúcio), Rahab, Jael, Jezebel e — bem mais suavemente — Rute. Voltaremos a algumas delas. Houve também a rainha de Sabá, embora ela passe pelo 1º Livro de Reis mais como uma brisa exótica ou agente de relações-públicas.

Constam dos registros duas líderes exercendo plenos poderes de soberania: Débora, a profetisa, e a rainha Atalia, a usurpadora má (será que foi mesmo? Quem pode saber?). Cada uma dessas governantes tem uma segunda mulher em sua história, uma contraparte ou nêmese. Débora ganhou uma guerra contra os canaanitas, mas o general inimigo fugitivo foi morto por outra mulher, Jael, pertencente a outro povo, os quenitas. Embora conste nos registros como "esposa de Éber", Jael toma conta do espetáculo ela mesma. Tomando a decisão política de aliar-se aos israelitas triunfantes, ela impiedosamente mata seu hóspede, Sísera, o infeliz fugitivo. Assim, Jael foi tanto estrategista como combatente, de forma bem semelhante à própria Débora. O pobre Éber provavelmente estava no bar.

De maneira similar, a malvada Atalia conseguiu "destruir toda a semente real" exceto o bebê Joás, salvo e oculto pela princesa Josaba. Isso lembra um pouco a história de Moisés, bem como muitas crônicas da realeza de muitas culturas. Ainda assim, essas histórias de mulher-enganando-mulher são relativamente raras. Elas enfatizam o largo espectro humano de protagonistas bíblicas mulheres.

Três mulheres são de especial interesse para nós — Miriam, Débora e Ana — porque tinham jeito com as palavras, expressavam ideias e mudaram a história (também) por atos verbais. Todas as três tiveram algum tipo de atitude maternal — com um filho, o irmão ou todo um povo. Todas as três cantaram grandes cantos de louvor ao Todo Poderoso, mas cada uma fez significativas contribuições humanas ao feito que celebrou em verso. Miriam cantou na esteira da travessia do Mar Vermelho, Débora depois da vitória sobre o exército de Sísera, e Ana após seu triunfo pessoal contra sua própria esterilidade. Às vezes associamos estas entoadoras de cânticos principalmente com seus respectivos hinos, esquecendo que cada uma foi uma atriz principal nos fatos que mais tarde exaltou.

Ter filhos e criar filhos sempre foi uma preocupação importante, para não dizer obsessão, para as judias, desde a matriarca Sara até as mulheres de carreira de hoje. Consideremos Tamar no livro de Gênesis, uma arrojada empreendedora procriadora, se é que existiu alguma. Tamar era a viúva sem filhos de dois irmãos doentios, que se casaram com ela um depois do outro de acordo com a lei israelita de continuidade dinástica. Seu sogro, o grande Judá, compreensivelmente recusou casar seu terceiro e último filho com Tamar. Decidindo reivindicar seu direito de descendência, ela se vestiu em trajes de vagabunda de rua, esperou na estrada de Timnah, e quando Judá apareceu ela o seduziu incógnita e engravidou. Tudo por uma causa boa e legal, do ponto de vista da Bíblia. Foi um sucesso brilhante, *game, set, match*. Tamar renovou a linhagem de Judá, foi mãe de toda a tribo, na verdade de todo o reino da Judeia, inclusive do futuro rei Davi. E de Jesus Cristo de quebra, se quiserem.

Tamar também foi um coração de coragem. Enfrentou

julgamento por ter alegadamente se prostituído quando sua gravidez se mostrou, sendo respeitosa demais (como até mesmo os talmudistas apontam com admiração) para anunciar Judá como pai em público. Mas também era esperta, astuta e informada por um forte senso de seus direitos. E eis que quando estava prestes a ser queimada, Tamar enviou a Judá seu próprio sinete, cordão e bastão, que ela astuciosamente exigira dele como garantia ao posar como prostituta.

Esta é uma impressionante reviravolta num conto já fabuloso. Esta mulher, enquanto reivindicava sua própria identidade e prole, guardava no colo a insígnia e o futuro dinástico da maior tribo de Israel. "Ela é mais justa que eu!", gritou o abalado Judá. E Deus deve ter sorrido também, porque a sagaz iniciativa biológica de Tamar produziu um par vibrante de gêmeos homens.

Tamar é o padrão de portadora da sobrevivência e procriação judaicas contra todas as chances. Mas a lição profunda, pensamos nós, não é sobre a continuidade genética. É sobre lei, narrativa e a grande corrente da memória. É sobre o sinete, o cordão e o bastão da identidade. É sobre permanecer no poder culturalmente.

Muitas mulheres assertivas e autoconscientes na Bíblia, assim como na história judaica posterior, eram inclinadas não só para a alimentação mas para a sustentação: contar e recontar a velha história, ensinar e reensinar os velhos mandamentos, de preferência sobre um tigela de comida de verdade. Ideias e imperativos morais justificam sobrevivência biológica e a tornam significativa. Há muitos tipos maternais na Bíblia: aquelas que lutam para se tornar mães, como Sara, Tamar e Ana; as parteiras, Shifra e Pua, as irmãs, especialmente Miriam. Mesmo a líder-profetisa Débora, possivelmente sem filhos, usou a maternidade como metáfora para sua soberania: "Cidades muradas cessaram em Israel", cantou ela — ou, conforme outra interpretação, "Governantes cessaram em Israel" — "até que eu, Débora, surgi; surgi mãe em Israel". Também é significativo que esta brilhante líder, oradora e guerreira possa ter recebido o nome da única outra Débora na Bíblia, que foi a ama de leite da matriarca Rebeca.

Compare estas senhoras com as grandes heroínas da mitologia e do teatro gregos: as deusas frequentemente são virgens, como Atena e Artemis; raramente são mães de seres humanos e mais raramente ainda se comportam de forma maternal. Muitas delas são matadoras. Quanto às heroínas trágicas, sua tragédia consiste em morrer sem filhos, ou perder os filhos, ou mesmo matar os filhos. Antígona, Clitemnestra e Medeia escolheram a morte. Em contraste, personagens israelitas e judias ao longo dos tempos quase sempre escolhem viver. Às vezes se saem mal, mas não no sentido trágico. Seu heroísmo quase invariavelmente consiste em sobreviver, salvar, superar perigos e trazer bebês ao mundo.

Uma exceção terrível foi uma mulher da época dos hasmoneus, chamada em algumas fontes de Ana, que permitiu que as tropas de Antíoco matassem seus sete filhos, até o caçula e mais terno, em lugar de se curvar a um ídolo grego, e então se jogou do telhado, ou, segundo outras fontes, na fogueira. Esta história triste não é, com toda a certeza, o único relato de martírio na literatura judaica, mas é inusitada em seu extremo teste de sentimentos maternais. Esta mulher está mais perto de Medeia ou Lady Macbeth do que da maioria das mães judias, inclusive a espécie bruta e primitiva da Bíblia. A maioria das mães evidentemente preferiria que os filhos sobrevivessem para contar histórias nacionais, em vez de morrer para se tornar uma história nacional. Pois, se a sucessão judaica trata de "viver para contar a história", então a vida da criança é importante não só por ela própria, o que é óbvio, mas também porque a criança é o próximo e precioso capítulo do livro.

Quanto à conversão forçada, aqui há uma tragédia real: a descendência de convertidos não mais se recorda. Ele ou ela pode viver, mas não para transmitir a narrativa. Teria alguma mãe convertida, com o surgir das trevas na Espanha pós-1492, alguma vez ousado sussurrar a seus filhos batizados algumas palavras da antiga bênção hebraica antes da refeição, *hu noten lechem le-khol basar*, na desesperançada esperança de que a passassem adiante?

Sua irmã que permaneceu judia, expulsa para a Provença ou o Marrocos, apegou-se ferrenhamente às palavras benditas. Testemunhando incontáveis traços de memória irremediavelmente quebrados, por meio da morte violenta ou conversão de comunidades inteiras, os que se mantiveram judeus tornaram-se ainda mais rígidos em sua aderência ao antigo imperativo: seguir e multiplicar. As palavras de Deus para Abraão tornaram-se um motor de continuidade, um motor duplo, pois aciona tanto as lembranças quanto os que lembram.

Quem foi a primeira "mãe judia", *yiddishe mamme*, da história?

Cuidado, é uma pergunta traiçoeira. A mãe judia, como a conhecemos hoje, não é absolutamente um tipo bíblico. Ou, pelo menos, seu impacto é um tanto mais sutil. Séfora, com o zelo típico dos conversos, circuncidou seu filho com as próprias mãos e um pedernal afiado; algumas mães judias de tempos posteriores usaram palavras para obter um efeito comparável. Muito se tem escrito sobre este estereótipo, desde o seu crivo carregado de culpa até o sufoco do amor exagerado. Sim, nós sabemos: parte da literatura e das piadas é bem pouco gentil, e parte, com uma significativa sobreposição, também é bem engraçada. Ou então, terrivelmente triste.

Se precisássemos escolher um texto representativo, optaríamos pelo bardo ídiche Itzik Manger, que amorosamente diz à sua mãe que, ao obrigá-lo a vestir-se muito aquecido, ela o deixa incapaz de abrir asas e voar. Ouçamos o ídiche:

> *Zog ich tsu der mame: — her,*
> *Zolst mir nor nit shtern,*
> *Vel ich, mame, eyns und tsvey*
> *Bald a foygl vern…*
>
> *Veynt di mame: — Itsik, kroyn,*
> *Nem, um gotes viln,*
> *Nem chotsch mit a shalikl,*
> *Zolst zich nisht farkiln…*
>
> *Un dos vinter-laybl nem,*
> *Tu es on, du shoyte,*
> *Oyb du vilst nisht zayn keyn gast*
> *Tsvishn ale toyte…*
>
> *Ch'hoib di fligl, s'itz mir shver,*
> *Tsu fil, tsu fil zachn,*
> *Hot di mame ongeton*
> *Dem feygele, dem shvachn.*

A tradução para o português perde metade de sua ternura original, e para o hebraico — três quartos. Ainda assim:

> *Digo à mamme: escute*
> *Se você não me atrapalha,*
> *Já, já, mamme, num instante*
> *Eu viro um passarinho…*

A mamme chora: — Itsik, minha joia
Pelo amor de Deus, pega
Pega um cachecol quentinho,
Para não se resfriar...

E ponha roupa quente por baixo,
Vista, vista, cabecinha de vento,
A não ser que queira ser visita
Entre todos os que estão mortos...

Tenho as asas, mas é tanto peso,
É demais, coisas demais,
A mamme carregou demais
O seu fraco passarinho.

Agora, o espectro da mãe judia "carregando demais, coisas demais" é enorme, mesmo dentro do estereótipo. Num extremo está sentada a pobre e piedosa viúva do famoso poema de Bialik: "Minha mãe, abençoada sua memória" (1931):

Minha mãe, abençoada sua memória, era uma mulher
                    [totalmente correta
E na viuvez, desesperadamente pobre.
Vem a Véspera do Shabat, o sol na copa das árvores,
Não havia vela em sua casa, e tampouco uma ceia

Ela buscou e achou, milagrosamente, dois vinténs —
"Pão ou velas?", ponderou,
Correu e voltou, um fardo santificado em sua mão magra:
As duas velas para a bênção

E então, quando ela acende as velas sobre sua mesa vazia mas com a toalha branca, reflete sobre sua pobreza e tristeza, e verte uma lágrima que apaga uma das velas. Amargamente, repreendendo o Senhor por este inconveniente ("Tu desprezas, Deus, a oferenda de uma viúva?"), ela finalmente derrama uma lágrima miraculosa que reacende a vela.

No outro extremo, aqui está a nada santificada mãe de Alvy Singer em *Noivo neurótico, noiva nervosa*, de Woody Allen (1977):

ALVY DE NOVE ANOS: O universo está se expandindo!
MÉDICO: O universo está se expandindo?
ALVY: Bem, o universo é tudo, e se ele está se expandindo, algum dia ele vai se despedaçar e aí vai ser o fim de tudo!
MÃE DE ALVY: E o que tem a ver com isso?
[Para o médico]: Ele parou de fazer a lição de casa!
ALVY: E qual é o sentido?
MÃE DE ALVY: O que é que o universo tem a ver com isso?
Você está no Brooklyn! O Brooklyn não está se expandindo!

Acredite ou não, a santa mãe no poema de Bialik e a vulgar sra. Singer no filme de Woody Allen têm algumas coisas em comum: ambas não hesitariam em culpar o Todo Poderoso em caso de devida culpa; e ambas vão insistir para que seus filhos façam a lição de casa, não importa o universo. Esse interesse comum é crucial para a nossa história.

A pia acendedora de velas de Bialik, aliás, não era realmente sua mãe. No subtítulo do poema lê-se: "Baseado nas conversas do Homem Justo de Vilednik". Este era Yisrael Dov-Ber, um *tzadik* hassídico e autor rabínico ucraniano do começo do século XIX. Sua mãe tinha sido viúva de um professor da Torá da escola primária, um "*melamed* de bebês". Você consegue imaginar que ela *não* obrigasse seu filho a fazer a lição de casa, exatamente da mesma forma como a cinematográfica mãe de Woody Allen fez com seu jeito menos gracioso? Aliás, a santa viúva ainda assim foi ancestral de Bialik, de certa forma: seu filho, o Homem Justo de Vilednik, foi padrasto da avó de Bialik, que cresceu na casa dele.

Outras mães judias, elas próprias muito letradas, ofereceram a seus filhos um modelo de erudição não menos do que um incentivo emocional a se superarem. Vimos a impressionante educação judaica feminina de Glikl de Hamelin, que resplandece por toda sua volumosa correspondência com seus filhos. Isaac Bashevis Singer (nenhuma relação, até onde podemos determinar, com Alvy) emergiu das prateleiras heterogêneas de sua mãe não menos, e provavelmente mais, do que dos tomos rabínicos de seu pai. A culta e amada mãe de Marcel Proust, Jeanne Clémence Weil, vinha de uma refinada família judia da Alsácia. Se você olhar as mães judias de escritores e pensadores nas diversas épocas, possivelmente identificará padrões: seu amor pela leitura podia se manter apenas dentro da esfera devocional, mas com bastante frequência elas eram mais abertas para o mundo, mais práticas e mais em contato com a literatura gentia e contos populares do que seus maridos. A mãe de Agnon lia histórias alemãs para ele. Fábulas ucranianas, esquisitas, sombrias e enfeitiçantes, foram passadas de Fania Klausner para seu filho, o romancista entre nós.

Mas voltemos a nossas candidatas bíblicas ao título de *yiddishe mamme* primordial. Temos duas finalistas. A primeira, Ana, esposa de Elcana, mãe de Samuel (e outros). A segunda, Batsheva, viúva de Urias, esposa de Davi, mãe de Salomão (e outros).

Tanto Ana quanto Batsheva moveriam céus e terras pelos seus amados filhos, e se preocupavam um pouco menos com os maridos (no caso de Batsheva, o primeiro marido ganhou um tratamento especialmente brutal). Batsheva tinha a maternidade maquinadora, agressiva da sra. Singer de hoje. Ana rezava fervorosamente por um filho e prometeu entregá-lo a serviço de Deus. E entregou.

Ambas parecem ter qualificações. Uma levou o filho para ser sacerdote, a outra astuciosamente tornou seu filho rei. Talvez esses cargos sejam equivalentes bíblicos de médico e advogado. Mas anunciemos a vencedora, e esta é Ana. "E ao tê-lo desmamado, ela o pegou consigo, com três bois castrados, e uma medida de alimento, e uma garrafa de vinho, e o trouxe até a casa do Senhor em Shiloh; e a criança foi uma criança..."

Aí está a mãe de toda mãe judia que algum dia levou seu filho de três anos, o cabelo recém-cortado, para o *heder*, a sala de aula hebraica. Em toda parte, do Iêmen à Lituânia, dê à criança algo bom para comer e mande-a aprender o alfabeto. Melhor ainda, ensine-lhe os rudimentos em casa, se puder. Mulheres ensinando letras hebraicas a seus filhos à mesa da cozinha — aí estava um dos principais aspectos da instrução feminina pré-moderna.

A Bíblia ressalta delicadamente, no seu modo conciso e econômico, quase em tom paternal, que Samuel era realmente muito pequeno. Pelo menos, como Joquebede e Miriam antes dela, Ana adoçou seu sacrifício observando de longe seu filho crescer. Ao contrário da família de Moisés, ela até o visitava e mimava: "Mas Samuel oficiava ante o Senhor, sendo criança, cingido com uma estola de linho. Ademais sua mãe lhe fez um pequeno casaco, e o trouxe a ele de ano em ano, quando vinha com seu marido oferecer o sacrifício anual".

Não se deixe enganar pelo substantivo singular: ela fazia para ele um casaco *novo* todo ano, para o tamanho servir, e o autor bíblico reconhece a ternura da roupa do pequeno menino-sacerdote. Pois Ana, não Batsheva, é a primeira cavilha das duas faces da maternidade judaica: grande ternura física e enviar o filho cedo para estudar. Com o coração partido diante do templo ou do portão da escola, mas voltando decididamente para casa para começar o casaquinho do próximo ano.

Também aqui vemos a plataforma de lançamento da grande dupla judaica: pão e letras. Com Ana a questão da comida começou antes, quando a ausência de filhos induziu uma perda de apetite, para desânimo de seu amoroso marido. Quando chegou a hora de cumprir sua promessa ao Senhor (ou, se quiser, ao sacerdote Eli) e levar seu filho para Shiloh, ela levou junto carne, farinha e vinho. Incontáveis mães levavam algo saboroso para o jovem aluno e seu *melamed*: balas e biscoitos no Marrocos e na Tunísia, amêndoas e passas na Europa oriental. A primeira letra que você lia sozinho, a primeira palavra no primeiro livro, era completada por um doce, então o gosto devia ser delicioso.

Nós achamos que é algo muito sábio.

A estrada de Samuel, e não a de Salomão, é aquela seguida por tantos homens judeus ao longo dos tempos: desmamados do leite de suas mães, adiante para a sinagoga-sala de aula, deliciosas amêndoas e passas, alef e beit. E a estrada de Ana tem a enternecedora dualidade de tantos futuros pais e mães judeus: meu filho não é só meu filho, ele pertence a Deus — ou, mesmo sem Deus, ao estudo — e eu preciso abdicar dele, num sentido profundo e crucial, numa idade muito tenra.

Ali está ela, parada, acenando adeus antes de caminhar penosamente de volta para casa nas colinas de Efraim. E totalmente sozinha. Apesar de ter tido, felizmente, outros filhos com Elcana mais tarde.

No decorrer dos séculos, muitas mães caminhando de volta para casa da escola do filho serão capazes de ler um pouco, também. Porém mesmo Ana, você descobrirá se ler com cuidado 1 Samuel 1, era uma mulher de palavras. Pode ter sido iletrada — não nos é dito — mas foi ela quem cunhou o conhecido dito hebraico: "Por esta criança eu orei". E você percebe o inteligente jogo de palavras que ela inventa nos versículos 27-8, contrapondo as palavras hebraicas para *pedir* e *emprestar*? Desculpe, é intraduzível.

Em 1 Samuel 2, Ana entoa um lindo, muito refinado poeticamente, hino de louvor a Deus. Mais uma vez, estamos perdidos quanto a estabelecer se Ana algum dia existiu ou quem realmente escreveu "Meu coração exulta no Senhor". Mas ficamos fascinados por uma cultura literária que atribui esta lapidada peça de elevada poesia a uma mulher humilde. Se o antigo Israel não era de fato uma democracia de letras, ao menos suas narrativas amiúde o apresentam como tal. O hino, possivelmente da autoria de Ana, é na verdade sobre a igualdade humana perante Deus, especialmente no campo da palavra falada: "Multiplica sem excesso a fala orgulhosa; não permitas que a arrogância saia de tua boca... Ele manterá seus fiéis de pé, mas o perverso será silenciado nas trevas; pois não pela força prevalecerá o homem". Mas algumas mulheres, como Ana, prevaleceram manifestando-se pela fala.

Elcana, pai de Samuel, foi o melhor marido da Bíblia. Um pouquinho autocentrado, talvez, como os maridos ocasionalmente são, mas devemos a ele um dos momentos mais ternos da literatura antiga:

"Ana", ele disse, "por que choras? e por que não comeste? e por que está pesaroso o teu coração? não sou eu melhor para ti do que dez filhos?"

Não, querido, tu não és. Ela não lhe respondeu, pelo menos não há nada nos registros. Mas comeu e bebeu devidamente, e partiu rumo ao templo para orar com êxito por um filho.

Nós gostaríamos que todo casamento judaico, fosse ele tradicional, secular ou inter-religioso, incluísse uma menção às palavras de Elcana à sua esposa, pelo menos a primeira parte. Ele era o tipo de marido que percebia o que estava se passando: a fisionomia dela, seus problemas para comer, sua tristeza. A historiadora entre nós tem certeza de que ele também notava o que ela vestia.

Admitimos que Elcana pode ter deixado de perceber a rixa das esposas em seu próprio lar — sua outra esposa Penina fazendo pouco de Ana por não ter filhos, e o desesperado ciúme de Ana em relação a Penina, apesar do seu elevado status de esposa adorada. Ou, sob este aspecto, a angústia de Penina em relação à clara preferência dele. Dissemos que ele era um bom marido, não um marido perfeito.

Elcana também permitiu que Ana cumprisse seu juramento decidindo o destino do pequeno Samuel. Como Anrão, ele é um pai bastante ausente, pelo menos até onde o texto se dispõe a revelar. Histórias bíblicas tendem a ser seletivas: contam apenas o que julgam importante. E Ana foi a figura importante no começo de vida de Samuel, da mesma maneira que Joquebede e Miriam foram os esteios da sobrevivência do bebê Moisés. E não o pai, em nenhum dos dois casos.

Ainda assim, o autor bíblico considerou suficientemente importante registrar as três perguntas de Elcana. De algum modo, seu amor deve ter tido importância.

Há outros momentos de ternura na Bíblia. Noemi, que perdeu dois filhos, diz a suas noras moabitas que voltem a suas famílias para seu próprio bem. As três mulheres beijam-se e choram, mas apenas Rute segue Noemi para Israel. "Para onde fores, irei eu; e onde te assentares, assentar-me-ei eu; teu povo será meu povo, e teu Deus meu Deus; onde morreres, aí morrerei, e aí serei sepultada." Esta Rute, cuja história lembra um pouco a de Tamar, encontrou e casou-se com um descendente de Tamar, também parente de seu falecido marido, seguindo assim o mesmo imperativo legal de continuidade da linhagem familiar. O que gostamos nesta história são os afetos pessoais: moabita para israelita, velha para jovem, jovem para velha, mulher para mulher e mulher para homem. Não se trata apenas de preservar a raça. Talvez não tenha a ver absolutamente nada com preservar a raça, mas com ser humano, reerguer-se de um desastre e criar esperança futura.

Sempre que a historiadora entre nós passa pelo bairro de Moabit, em Berlim, Rute lhe salta à mente. A área carrega tantas outras associações históricas, muitas delas bastante sombrias, mas Rute consegue permanecer.

Se Ana é a precursora da criação intelectual de filhos, com certeza ela não é a única nessa posição. A Mulher Talentosa, celebrada no último capítulo de Provérbios, é uma esposa leal, mãe amorosa, artesã, mercadora, compradora de terras, agricultora, doadora de esmolas, orgulhosa de seus parentes homens, pilar de fé e geralmente uma pessoa de grande sucesso e bom gosto. Mais interessante para nós, esta senhora impossivelmente perfeita também "abre sua boca com sabedoria; e a Torá da gentileza está em sua língua". Ela também dá "lei para suas donzelas". Filhas ou servas? Educação ou mera disciplina? Difícil dizer. Finalmente, esta notável *eshet chail* também é uma política de bastidores. "Seu marido é conhecido nos portões, ao sentar-se entre os anciões da terra." Por seu próprio mérito? Pergunte a Anrão e Elcana.

Outras mulheres cintilam no escuro, mencionadas de passagem, semiesquecidas, suas próprias palavras perdidas ou destruídas. Mas os autores bíblicos ainda lhes permitem uma espiadela através das cortinas: Hulda, a Profetisa, pode ter merecido sua própria escritura, mas tudo que resta dela nos registros é uma profecia de apocalipse, repetida em dois livros bíblicos. Pelo menos sabemos o seu nome, o nome de seu marido, sua linhagem familiar e sua residência em Jerusalém.

Outras se conservam sem nome, mas mesmo assim desempenharam grandes papéis em histórias importantes. Quem foi a Mulher Sábia de Técua, que astutamente salvou a vida de Absalão apresentando uma esperta parábola a seu pai, Davi? Quem foi a Necromante de Endor, que inadvertidamente ajudou o rei Saul enquanto reclamava audaciosamente de sua perseguição aos místicos, o pôs em contato com o fantasma de Samuel, apavorou-o quase até a morte, e então, tipicamente, lhe preparou uma bela ceia?

E quem foi a Grande Mulher de Sunam, que "segurou" o profeta Eliseu "para comer pão". A Grande Mulher, também conhecida como Sunamita, obrigou seu marido a fazer para o profeta um quarto de hóspedes, que ela projetou meticulosamente. Como você já sabe, as mulheres bíblicas fundem um nutrir maternal com uma pitada de sabedoria prática. Quando Eliseu lhe perguntou se ela precisava fazer uso de seus contatos políticos, ela modestamente replicou: "Eu habito em meio ao meu próprio povo". Esta frase tornou-se, no hebraico moderno, uma frase típica para astúcia política e sociológica. Eliseu ficou tão agradecido que se deu ao trabalho de descobrir que a Grande Mulher não tinha filhos, prometeu-lhe uma criança e cumpriu a promessa. Quando o filho dela nasceu, ficou doente e morreu, Eliseu o ressuscitou. Nada menos que isso.

Então acontece que a nossa Abisag, a platônica companheira de cama de Davi, talvez a emblemática amante de Salomão, e talvez até mesmo a autora secreta do Cântico dos Cânticos, também era uma sunamita. Como está isto relacionado com a Grande Mulher? Como a Mulher Sábia de Técua está relacionada com o profeta Amós, da mesma cidade? E quantas outras fascinantes mulheres israelitas foram deixadas na proverbial cesta de lixo da Bíblia?

Como escreveu certa vez Bertolt Brecht, num contexto bastante comparável: "Tantas histórias./ Tantas questões".

Três grandes ressalvas são necessárias.
Primeira, de forma alguma sugerimos que outras sociedades

e culturas antigas não criaram mulheres fortes, assertivas, bravas, sábias e vocais. Na Antiguidade, Egito e Mesopotâmia criaram literaturas com poderosas figuras femininas. Grécia e Roma Antigas tiveram autoras e filósofas, bem como heroínas históricas e ficcionais. A simples presença de várias mulheres não israelitas em papéis bíblicos cruciais, como enfatizamos, prova que midianitas e moabitas, canaanitas e quenitas, filisteias e filhas do Faraó podiam mover as rodas da história de maneira tão efetiva quanto suas colegas hebreias.

Mas se você fosse uma senhora do Oriente Próximo de força e ambição, esperando deixar sua marca no mundo, certamente ajudaria a fazer uma entrada numa história bíblica. O ponto no nosso livro não é que os judeus eram melhores que os outros, mas que os judeus tinham um jeito especial com palavras. Palavras se tornavam textos. Aqueles que eram publicados se tornavam perenes.

Jamais saberemos quantas mulheres sábias proferiram ditos sábios em toda e cada cultura. Mas se você por acaso cunhou a frase "Por esta criança eu orei", ou "Eu habito em meio ao meu próprio povo", ou "Teu deus será o meu deus", tinha uma chance maior de fama duradoura se dissesse sua frase em ouvidos bíblicos. Além disso, se você mandou seu filho para a casa de Deus ou ensinou lei a suas donzelas, suas chances de permanecer no registro histórico são ligeiramente maiores. Ao promover as histórias nacionais, contá-las e cantá-las para a posteridade, as mulheres também se tornaram parte da história.

Nossa segunda ressalva refere-se à "historicidade" de todos os nossos protagonistas bíblicos, homens ou mulheres. Estamos bem cientes de que todo e cada personagem mencionado até aqui pode ser pura ficção, uma invenção da fantasia de algum autor, criada em algum momento entre 1000 e 500 AEC. Não estamos supondo que Sara, Miriam ou Hulda tenham realmente existido. Mas *os autores existiram, e sua linguagem existiu*. Quem inspirou essas histórias?

De onde vieram os heróis e heroínas, os enredos e fábulas, os diálogos e expressões? Da vida real, foi daí que vieram. De linhas de textos.

Um arqueólogo poderá se preocupar com o fato de os relatos bíblicos serem mera "ficção", mas nós viemos de um lugar diferente. "Ficção" não nos assusta. Como leitores, sabemos que ela transmite verdades. Como judeus seculares, não insistimos na historicidade de Moisés ou de Miriam. Que os Narradores tenham sido reais, para nós já é bom demais. Podemos saber que eles viveram numa sociedade bem acostumada a figuras maternais fortes e assertivas. Uma civilização capaz de redigir a Bíblia evidentemente tem Saras, Déboras e Huldas vivendo em seu meio. Essas damas específicas podem ter sido tão míticas quanto as deusas gregas — quem liga para isso? — mas suas palavras são a matéria de experiência humana palpável.

Nossa terceira ressalva é simples e brusca. A Bíblia não era um patrão que dava oportunidades iguais. Normalmente as mulheres não possuíam nem herdavam propriedades (com algumas notáveis exceções). A poligamia era corrente, a poliandria desconhecida (a menos que contemos Micol; dê uma olhada na história dela se ficar curioso). O adultério era punido com a morte, o divórcio dependia dos caprichos do marido, e pais podiam vender suas filhas jovens como escravas. "E eu acho a mulher mais amarga que a morte", escreveu o requintado Eclesiastes. "Um homem em um milhar eu encontrei; mas uma mulher entre todos aqueles não encontrei."

Não podemos entender como o sensual Cântico dos Cânticos, o profundo livro de Provérbios (com sua Mulher Talentosa) e o amargo e assombroso Eclesiastes podem ser todos atribuídos ao mesmo autor, Salomão. Talvez ele tenha escrito cada livro sob o embalo de uma esposa diferente. Ou talvez outras pessoas os tenham escrito, talvez até mesmo uma esposa ou duas.

* * *

O que aconteceu com as mulheres ativas durante a época do Segundo Templo, a Mishná e o Talmude?

Talvez a história da esposa de Rabi Akiva seja uma boa pista. Segundo uma fonte seu nome era Raquel, mas outras a deixam sem nome. Ela era filha de um homem rico, ele um pastor humilde já de certa idade. Ela reconheceu sua "excelência e modéstia". Se eu me casar com você, ela perguntou, você irá para a Casa de Estudo? Sim, ele disse. Eles se casaram, o pai imediatamente a deserdou, e Akiva foi estudar. Tornou-se um dos maiores sábios da história judaica. Algumas versões da história sugerem que ele a abandonou por muitos anos, deixando-a em abjeta miséria. Quando ela finalmente o abordou em meio a um séquito de discípulos e os homens tentaram afastá-la, Akiva lhes disse que a soltassem, pois "o meu e o vosso são dela". E comprou para sua esposa uma belíssima tiara, conhecida como "Jerusalém de Ouro".

A história — tirada do Talmude babilônico e de outras fontes — tem beleza. Apresenta a esposa de Akiva como típica mãe judia, mandando o marido embora para o estudo bem no início de seu casamento. Mas existe aqui algo não bíblico: uma vítima; vítima tanto do pai como do marido, ela permanece atrás, para ser compensada por uma joia como forma de final feliz. Seu marido é cercado por homens cultos arrogantes que se esquivam dela pelo seu sexo. Apesar das belas palavras de Akiva, os portões da escola rabínica são firmemente fechados na sua cara.

Não tenha muita conversa com mulheres, dizem os sábios. As mulheres são levianas de cabeça. Se você ensina a Torá para sua filha, disse Rabi Eliezer, está ensinando algo que para ela não faz sentido. É melhor queimar a Torá, disse Rabi Eliezer, do que dá-la a uma mulher. "A Torá diz", escreveu Flávio Josefo em *Contra Apion*, "que uma mulher é inferior ao seu marido em todas as coisas." Não temos ciência de nenhum lugar na Torá que diga alguma dessas coisas. Talvez Josefo tivesse uma versão diferente; isto não é impossível. "Que ela seja, portanto, obediente a ele", continua Josefo, "não de forma que ele abuse dela, mas que ela possa reconhecer seu dever para com seu marido; pois Deus deu a autoridade ao marido."

E por aí vai.

Há opiniões discordantes, também: o erudito mishnaico ben Azai disse que um homem deve ensinar a Torá a sua filha. Deus deu às mulheres mais compreensão que aos homens, disse outro sábio. Mas a principal investida da política sexual talmúdica é cristalina e afeta o judaísmo ortodoxo até os dias de hoje. Seu impacto sobre a vida pública judaica e israelense ainda é significativo, no exato instante em que escrevemos estas linhas.

O que sucedeu?

A maioria dos eruditos mishnaicos e talmúdicos eram homens que trabalhavam, homens reais que circulavam; mas para efetivar seus estudos, a nova Torá oral que, por definição, é conversacional, eles se agrupavam e se fechavam no seu Sinédrio, nas casas de estudos e sinagogas, num mundo letrado que deixava as mulheres de fora. Em contraste, os homens *e* mulheres bíblicos viviam apenas na história, na história terrena, sangrenta, nua e crua. Assim, as mulheres tomaram parte ativa na Bíblia, mas eram mantidas à distância do Talmude.

Vamos sugerir um exemplo histórico diferente. Consideremos o reerguimento acadêmico europeu no século XIX. As mulheres podiam dirigir os salões intelectuais da era do Iluminismo, envolvendo-se com os mais famosos filósofos e escritores da Europa em pé de igualdade. Mas quando o eixo da vida intelectual se deslocou para os auditórios acadêmicos de Paris, Oxford e Berlim, essas brilhantes musas foram deixadas para trás, definhando em suas salas georgianas, vitorianas ou biedermeirianas, até que as universidades permitissem sua entrada, quase um século depois.

Na época do Segundo Templo e da Mishná, aproximadamente entre o século VI AEC e o século II EC, os judeus já eram chamados de judeus, suas escrituras tornaram-se um cânone, e desenvolveu-se uma grande tradição escolástica: primeiro oral, depois escrita. Quando os romanos destruíram o Templo em 70 EC, já florescia uma cultura de sinagoga. E após a condenada rebelião final em 135 EC, as já estabelecidas diásporas puderam substituir gradualmente Israel. O mundo judeu era, então, um mundo de homens: destituídos de pátria e independência política, mas cheios de erudição e escorados por uma sólida estante de rolos.

As mulheres compartilharam o destino judaico, mas não podiam mais participar no esculpir da sabedoria judaica, mover os pauzinhos políticos ou cantar para uma nação. Suas palavras cessaram, quase por inteiro, de ser registradas. Estudar era para os homens. O Talmude de Jerusalém diz isto alto e claro: não nos instrui o Deuteronômio, "E os ensinarás a teus filhos"? Não importava que o hebraico bíblico pudesse se referir a "crianças" ao usar a forma masculina inclusiva. Os talmudistas não queriam desenterrar uma gramática alternativa. Seus filhos, insiste Rabi Simão, não suas filhas.

Era preciso ser uma mulher de muita sorte ou muito capaz para ser mencionada no Talmude. É claro que figuras bíblicas femininas são discutidas com frequência, e análises legais concernentes a mulheres são numerosas, especialmente nos tratados dedicados a elas. Mas mulheres contemporâneas são outra história: bastam duas mãos para contá-las.

Nosso inventário, esperando não ter esquecido ninguém, inclui uma rainha, Heleni, e a já mencionada Ana, mãe de sete filhos martirizados. Em diversos lugares aparece uma "matrona" (*matronita*), mas não sabemos se se trata de uma senhora específica ou de um nome genérico para mulheres casadas abastadas, talvez de cultura romana, que abordavam os rabinos com perguntas. Praticamente todas as outras mulheres são parentes imediatas de eruditos talmúdicos, tais como uma certa Kimchit, que foi afortunada ou virtuosa o bastante para ser mãe de sete sacerdotes. Quando os sábios perguntaram qual era o seu segredo, ela atribuiu seu sucesso ao recato feminino e não a uma maternidade inteligente: "As paredes da minha casa nunca viram as mechas do meu cabelo". Ah, bom. Pelo menos, os sábios foram sábios o bastante para responder que "muitas o fizeram, e para elas não funcionou".

O Talmude também nomeia várias viúvas de sábios: a rica viúva Martha bat Boethus, que se casou com um alto sacerdote; nossa já mencionada esposa de Rabi Akiva; uma certa Judite, que foi mãe de muitos gêmeos (um par de filhas, Pazi e Toy, chega a ser citado), e cujo marido está nos registros como alguém que a trata gentilmente apesar de seu azedume. E aí há Ima Shalom.

Ima Shalom é substancial. Ela tem certas qualidades bíblicas. Seu nome significa Mãe da Paz em aramaico. Pode ter sido um apelido, e se foi, foi bem merecido; ela era irmã de um grande rabino e esposa de outro grande rabino, e os dois cunhados se envolveram numa briga (do tipo talmúdico, fique tranquilo). Seu pedigree, provavelmente acoplado com sua perspicácia, a fez participar de diversas histórias importantes, onde ela exibe uma gama de traços muito humanos: ela serve de mediadora, faz maquinações, suborna, tende para o lado do pobre, e também se preocupa tanto com o marido como com o irmão, e também por bons motivos, pois um deles acaba causando indiretamente a morte do outro. Nessa dramática ocasião, Ima Shalom disse as seguintes palavras de sabedoria: "Tenho esta tradição da casa do pai do meu pai: Todos os portões [para garantir a intervenção de Deus] estão trancados, exceto os portões dos sentimentos feridos".

Apenas duas mulheres desempenham papéis maiores que Ima Shalom. Yalta, filha do chefe da comunidade judaica babilônica e esposa de Rabi Nahman, aparece várias vezes no Talmude babilônico. Ela parece ter sido uma verdadeira erudita e uma personalidade e tanto. Yalta certa vez quebrou quatrocentos jarros de vinho num acesso de fúria, segundo se conta porque um convidado não a deixou beber de seu copo; outra interpretação sugere que ele insultou o sexo feminino. Mas ela também consta dos registros como tendo feito algumas perguntas muito inteligentes. Yalta descobriu que quando a Torá nos proíbe de fazer ou consumir alguma coisa, ela sempre nos permite fazer ou consumir algo bem similar. Isto é bom pensamento analítico, e os escribas do Talmude devem ter pensado da mesma forma. Em dias festivos de Shabat, Yalta era carregada para a sinagoga numa liteira, uma honra permitida somente a grandes sábios. Ela era caridosa com os necessitados, e em particular com estudiosos. Conta-se que ela ensinava os rabinos, conversava livremente com eles, e buscava segundas opiniões quando não gostava do que ouvia.

Bruria fecha a nossa lista. Ela é uma equivalente mais antiga de Yalta, filha e esposa de sábios da Mishná, e também grande erudita por seus próprios méritos. Sua capacidade de aprender era lendária. Ela ganhava discussões. Participou de debates famosos. Acumulou elogios por polemizar com sucesso contra seu próprio pai. Rabi Yoshua está nos registros com o mais raro dos cumprimentos: "Bem dito, Bruria!". Ela tinha alunos, e seus próprios métodos pedagógicos: um dia chutou um rapaz que sussurrava suas lições, dizendo--lhe que somente com leitura em voz alta é possível memorizar o texto. Deixando o chute de lado, desafiamos as escolas modernas a prestar atenção. Bruria também ensinou seu marido a rezar pelo arrependimento dos perversos, não pela sua morte.

E relatos talmúdicos posteriores dizem que Bruria punha tefilin, um rito de santificação exclusivamente masculino. O cabalista do século XVI, conhecido como Santo Ari, Rabi Isaac Luria ben Shlomo, explicou que a alma de Bruria veio "do mundo dos homens". Ela deve ter sido um gênio excepcional para passar por todos esses muros.

Mas quando Rabi Jose perguntou a Bruria: "Qual caminho para Lod?", ela o censurou. Uma pergunta de quatro palavras é uma extravagância quando duas bastam: "Caminho Lod?". Bruria, ela mesma uma sábia, repreendeu assim um colega sábio por exagerar em conversa miúda com uma mulher, sendo a mulher ela própria. Os rabis não instruem a não se envolver em muita conversa com mulheres? Pobre Bruria. Se a história for verdade, ela sofria daquilo que os acadêmicos críticos de hoje chamam de "inferioridade internalizada".

E é isso aí.

O Talmude teve um profundo impacto no destino das gerações futuras de mulheres judias. Em alguns bairros de Jerusalém, Bnei Brak, e no Brooklyn, ainda tem.

Mas ele não podia deixá-las sem voz para sempre. Por toda a Diáspora — e estamos nos referindo ao espaço diaspórico e ao tempo diaspórico — ser judeu dependeu de palavras faladas e cada vez mais de textos escritos. As mulheres não têm inferioridade quando se trata de palavras. Mesmo o Talmude concedeu que "dez medidas de fala desceram ao mundo, e as mulheres pegaram nove". Se a intenção disto é um insulto, está funcionando no sentido contrário.

As comunidades judaicas pré-modernas, em todo lugar, mantiveram as mulheres em casa e afastadas. Nas palavras de Rachel Elior: "Mulheres […] ocupavam uma posição secundária — socialmente inferior, era-lhes negada voz pública, eram excluídas do círculo de estudiosos, mantidas na ignorância e legalmente discriminadas — pois eram encaradas como periodicamente impuras por motivo de seus ciclos menstruais, o que as excluía da santidade e do estudo". Isoladas, marginalizadas, frequentemente analfabetas, e num sentido profundo, sem fala: as mulheres judias em tempos pré-modernos não tinham sorte muito melhor que a maioria de todas as mulheres pelo globo.

E ainda assim, no fim da Idade Média, tanto o status social quanto a erudição estavam em alta em várias diásporas. Mais mulheres tinham acesso às letras e deixaram testemunhos escritos de diversos tipos. Entre as comunidades sefaraditas pós-1492, muitas mulheres eram letradas. Na Europa central e oriental, também, seu status melhorou em comparação com os padrões talmúdicos.

Durante muito tempo elas não podiam se aproximar dos livros, porque livros eram caros e mantidos em sua maioria nas sinagogas, casas de estudo e outros santuários masculinos. Assim, a história das mulheres judias está intimamente ligada à história material dos livros. Quando os livros puderam finalmente ser domesticados, mantidos no lar familiar, três grandes mudanças começaram a ocorrer: no conteúdo e nos rituais do lar, no caráter e nos gêneros dos livros e nas mulheres, que finalmente adquiriram proximidade com as palavras escritas. Em diversas partes da Europa os livros foram se tornando gradualmente mais acessíveis, tanto em termos de disponibilidade como de valor, penetrando assim num número maior de casas, mesmo antes de Rabi Gutenberg de Mainz, e cada vez mais depois dele.

Pense em pequenas velas gradualmente acesas por todo o vasto mapa da dispersão judaica. Em Bagdá, no Norte da África, na Espanha, Provença, Itália, França, seguindo adiante para a Europa central e oriental, luzes de leitura foram chegando para algumas mulheres. Imaginamos as saletas dos abastados, as esposas e filhas de rabis e escritores, dignitários e mercadores, lentamente ganhando acesso aos pergaminhos e códices. E logo, as luzes de leitura tornaram-se também luzes de escrita.

Uma requintada e pouco conhecida voz feminina emerge da Guenizá do Cairo, um tesouro de manuscritos hebraicos escondido no sótão da Sinagoga Ben Ezra de Fustat, Cairo Antigo, e descoberto acidentalmente no fim do século XIX. Continha centenas de milhares de rolos e pergaminhos, livros e fragmentos, textos até então considerados perdidos ou jamais conhecidos, de autoria dos Chefes da Diáspora Babilônica (Exilarcas), eruditos da Antiguidade remota e medievais e poetas sefaraditas. Uma quantidade de documentos — cartas, testamentos e petições — pode ter sido escrita ou ditada por mulheres. E um pequeno pedaço de papel amarrotado, rasgado ao meio, porta um texto singular: um breve e deslumbrante poema de amor em hebraico, para um marido distante:

> *Lembrar-se-á seu amor de sua corça graciosa,*
>   *seu único filho nos braços dela ao partir?*
> *Na mão esquerda dela ele pôs um anel de sua destra,*
>   *no pulso dele ela pôs seu bracelete.*
> *Como lembrança ela tomou o manto dele,*
>   *e ele em troca tomou o dela.*
> *Será que ele se assentaria, agora, na Terra de Espanha*
>   *se seu príncipe lhe desse metade do reino?*

Saudamos os tradutores deste poema para o inglês, mas seu original hebraico é esplendidamente incomparável. A autora deve ter sido uma grande poeta. E nós nem sequer sabemos seu nome.

Sua identidade foi estabelecida graças ao trabalho de detetive textual do estudioso israelense Ezra Fleischer. Se sua hipótese estiver correta, o minúsculo fragmento de papel com parte deste poema sob a inscrição "Da [também podendo significar 'para a'] esposa de Dunash Ben Labrat" revela uma autoria feminina. Nada sabemos sobre essa mulher do século x. Seu marido foi o grande precursor da Idade de Ouro sefaradita, o primeiro a escrever poesia profana ao lado de versos devocionais. Quantos outros fragmentos rasgados, em mãos femininas, foram perdidos para a posteridade?

Imaginamos essas mulheres aprendendo a ler em mesas de cozinhas, junto ao fogão, ou encolhidas num canto na saleta de um pai culto. Alguns pais devem ter chamado suas filhas inteligentes para junto de suas escrivaninhas, com intenção de ensinar, ler e discutir. Imaginamos um pai desviando dolorosamente o olhar de um filho lerdo para sua esperta irmã. Ou uma mãe letrada passando a tocha para suas meninas, "dando a lei para suas donzelas".

As três filhas de Rashi são um caso ilustrativo. Esse brilhante farol da exegese bíblica e talmúdica, Rabi Shlomo Yitzhaki, não teve filhos homens. Na escura França do século xi — e realmente escura, e funesta, com a Primeira Cruzada massacrando muitos milhares de judeus e a literatura feminina geral perto de zero — Rashi ensinou a suas meninas Torá e Guemará. Pelo menos duas delas eram reconhecidamente muito inteligentes. Seus nomes eram Joquebede, Miriam e Raquel. Seus eruditos maridos, e ainda mais eruditos filhos, juntaram-se a Rashi para criar uma nova escola de pensamento e interpretação. Este clã cerebral de algum modo sobreviveu aos cruzados, e sua genealogia de sabedoria prevaleceu.

E assim elas marcham ao longo dos séculos, as mulheres judias estudadas. Eruditas e escritoras, mercadoras e intelectuais. Sefaraditas e asquenazitas, casadas ou solteiras, algumas abençoadas com pais inspiradores, algumas se tornando mães inspiradoras. No começo são poucas e esparsas, depois são muitas. Entram Dulcea de Worms e Licoricia de Winchester, mulheres judias do século xii com penas de escrita. Na Itália, esposas e filhas de impressores judeus tornam-se editoras, escribas e autoras elas próprias. Fortes matronas sefaraditas traficaram poder político criando vozes e nomes para si mesmas: Benvenida Abravanel nos saúda do século XV, Dona Grazia Nassi e Devorá Ascarelli, do XVI. No Curdistão, Osnat Barazani foi uma rabi tão grande quanto seu pai e seu avô. Talvez maior. Já conhecemos a digna de reverência Glikl de Hamelin. O século XVIII trouxe Frecha Bar Yosef, poeta marroquina e autora de preces. Rachel Morpurgo, no século XIX, escreveu versos religiosos e seculares que acabaram sendo publicados como *Harpa de Rachel*.

A antiga arte da conversação feminina — mencionada e escarnecida pelo Talmude — cresceu de forma realmente brilhante com as *salonnières* do Iluminismo berlinense, Dorothea Mendelssohn-Schlegel, Rahel Varhagen e Henriette Herz. Eram charmosas e sofisticadas, à vontade entre cientistas, filósofos e escritores românticos, fascinando-os e superando-os em espiritusidade, às vezes casando-se com eles. Algumas décadas depois, filha de uma musa de Paris que se fez sozinha e de pai desconhecido, Sarah Bernhardt deslumbrou os palcos franceses e abriu seu caminho para o cinema.

E quase ao mesmo tempo, através do continente na ultraortodoxa Europa oriental, Hannah Rachel Verbermacher, a Donzela de Ludmir, deixou seu grande gênio ofuscar e envergonhar o patriarcado hassídico. Ela tornou-se uma autêntica *rebbe*, com um círculo de discípulos ao seu redor, apesar da feroz oposição, até que a casaram, na esperança de silenciá-la. E ainda assim, ela abriu suas asas, foi para Jerusalém e, segundo alguns relatos, ensinou um rebanho de discípulos leais até a morte.

Sim, mulheres judias foram muitas vezes silenciadas, como quase todas as mulheres em todas as outras culturas até os tempos modernos. As que conhecemos, as que listamos, são pequenos pontos brilhantes sobre uma imensa tela escura, onde residem milhões de pessoas das quais jamais ouviremos falar.

Osnat Barazani, a outra judia que mereceu o título de rabi contrariando todas as probabilidades, resplandecendo através da história escrita por homens pelo puro poder de seu intelecto, na Mosul do século XVII, dá um lampejo dessa sobrevivência obstinada, minimalista de judeus e palavras. Um relato diz que Osnat implorou ao Senhor para fechar seu ventre, para que ela pudesse dedicar toda sua energia ao estudo — mas só depois de dar à luz um filho e uma filha. E outra história relata que sua sinagoga queimou até virar cinzas, mas só depois de Osnat proferir algum encantamento mágico, e os livros sagrados sobreviveram incólumes. Aí estão eles mais uma vez: as crianças e os livros. Os ossos da continuidade.

O século XIX e o começo do século XX foram um Tempo de Dádiva para muitas mulheres judias. Por toda a Europa, algumas ainda em trajes tradicionais, e certamente em lares tradicionais, elas obtinham livros e liam avidamente, liam com grande sede, pavimentando o caminho para suas filhas e netas. Já não mais somente as escrituras sagradas, não mais somente compêndios religiosos para serem lidos por mulheres, como *Tzena urena*, mas romances e poemas, história e geografia, ciência e guias práticos e linguagens modernas. No fim do século XIX, como argumenta Iris Parush, as mulheres judias podem ter estado entre os leitores mais entusiásticos da Europa.

Mesmo quando levavam vidas tradicionais, essas mulheres podiam agora administrar sua sabedoria com grande efeito. As belíssimas memórias de família de Isaac Bashevis Singer, *No tribunal de meu pai*, têm sua mãe, altamente inteligente e com vastas leituras, servindo piamente seu devoto pai, que só tinha olhos para o Talmude. O pai nunca olhava para uma mulher, e não oferecia mais que uma cadeira para litigantes mulheres que vinham a sua casa para adjudicação rabínica. Mas uma bisavó paterna, Hinde Ester, era tão admirada pela sua sabedoria e devoção que o próprio Rabi Shalom de Belz a fazia sentar-se ao seu *tisch* — a toda-masculina mesa de estudo — sempre que ela vinha vê-lo. Hinde Ester chegou mesmo a usar o xale de orações de uso exclusivo dos homens. Tal era o complexo espectro no qual viviam as mulheres judias cerebrais, no limiar da modernidade, mas ainda dentro de casa, enquanto novas promessas cintilavam do lado de fora.

Em Hamburgo, Miriam Cohn, esposa do Rabi Joseph, dirigia seu gabinete rabínico e adjudicava entre rivais em seu lugar, criticava sem medo seus ensinamentos e desempenhava uma parte crucial das aulas diárias de Torá de seu neto. Miriam certamente não foi apenas ou a mais conhecida *rebbetzen* a superar seu próprio marido no papel de rabino. Mas aquele seu neto aconteceu de tornar-se o Juiz da Suprema Corte Israelense Haim Cohn. "Foi ela quem me ensinou", recorda-se Cohn, "que nenhuma verdade é absoluta, e que a independência de espírito jamais deve ser comprometida."

Que outra sociedade tradicional, ponderamos, produziu tantas mulheres documentadas, nomeadas, vocais e obstinadas *antes* do início da modernidade?

No começo do século XIX, ainda excluídas da maioria dos saguões de estudo, houve muitas mais Brurias, Yaltas e Imas Shalom batendo às portas da educação. E assim, quando as universidades abriram seus portões havia muito fechados, tanto para judeus quanto para mulheres, elas estavam mais que prontas.

Não levou duas gerações, nem mesmo uma. No mesmo momento, imediatamente, as mulheres judias se lançaram para a dianteira acadêmica, até onde lhes era permitido. A química e física Elsa Neumann, a primeira mulher a obter um diploma de doutora na Universidade de Berlim (em 1899), nove anos antes que as mulheres fossem oficialmente autorizadas a estudar. Lise Meitner, a segunda mulher a obter um Ph.D. em física na Universidade de Viena e, segundo muitas opiniões, bem merecedora de um Prêmio Nobel. A bacteriologista Lydia Rabinovitsch-Kempner em Berna. A filósofa política Simone Weil. Hannah Arendt, que brilhou em Königsberg, Marburgo e Heidelberg. Também em Heidelberg, a acadêmica de medicina Rahel Goitein Straus e a historiadora Selma Stern. Judias alemãs e austríacas foram as pioneiras deste avanço feminino nas ciências; muitas logo se seguiram, inclusive a biofísica britânica Rosalind Franklin. Sem dúvida devemos nos desculpar pelas numerosas omissões. Se as mulheres talmúdicas podem ser contadas em duas mãos, suas contrapartes modernas exigem centenas.

Quando o nosso tio-avô (e tio-bisavô) Joseph Klausner chegou a Heidelberg em 1897, pensou que estava no céu. Havia uma companhia intelectual tão maravilhosa sobre uma caneca de cerveja na *Kneipe* após o seminário de filosofia. Havia tantas mulheres inteligentes. E tantas delas judias. Não que Klausner se importasse se não fossem.

Os anos de florescimento germano-judaico terminaram de forma abrupta e brutal. Quando a Alemanha de Hitler tentou apagar toda vida judaica e silenciar toda voz judaica, o gênero não constituiu divisor. Das milhões de vozes sufocadas, metade era de mulheres. Uma metade igual.

Hoje as Miriams não dependem mais de seus irmãos, nem as Brurias de seus maridos, nem as Osnats Barazanis de seus pais. Os judeus não têm mais nenhuma vantagem em termos de leitura sobre outras nações e culturas. Poderosas vozes femininas estão em toda parte, quase em toda parte, um fato da vida humana.

    Nossa sinuosa narrativa de inclusão e exclusão, de vozes fortes e silenciadas, não é apenas sobre mulheres judias. Pode ser lida também como uma fábula totalmente humana sobre sobrevivência-pela-lembrança. As dúzias de protagonistas interligadas neste capítulo formam não um continuum genético, mas uma série de pessoas carregando textos, carregadas de ideias, teimosa e amorosamente passando-os adiante para crianças de carne e osso junto com o seu leite e pão. Jamais saberemos se Yalta descendia de Sara, ou se a Donzela de Ludmir carrega os genes de Yalta. O que importa é que Yalta leu sobre Sara, e que Hannah Rachel Verbermacher estudou Yalta. Não se tratava do pai biológico mas da continuidade da história. O legado da identidade. Os equivalentes textuais de sinete, cordão e bastão de Yehuda.

    E, é claro, da criança que os carregará para o futuro. Pergunte a Tamar. Ela compreendeu.

3. Tempo e atemporalidade

Os judeus têm se interessado pelo tempo desde tempos imemoriais.

Todas as civilizações são profundamente preocupadas com seu passado: é este, entre outras coisas, que faz com que sejam civilizações. Assim, narrativas bíblicas e histórias talmúdicas, discussões rabínicas e poesia sefaradita, obras do Iluminismo judaico e contos hassídicos, bem como a literatura e o academicismo modernos, revelam uma riqueza cumulativa que não é diferente da de outras genealogias culturais, embora um pouco mais espalhada.

As histórias hebraicas da criação, nosso "No Princípio", a primeira família, nossos contos antediluvianos e pós-diluvianos, o dilúvio em si — são sob muitos aspectos aparentados dos mitos babilônicos, assírios e gregos. O monoteísmo pode ser nosso tempero particular, mas o prato é universal. E o Gênesis nem sequer é tão monoteísta: Toda espécie de deidades primordiais e demônios derrotados vagueiam pelo texto. Quem foi Tehom, que surge já no início em Gênesis 1,2, e é convencionalmente entendido como "abismo" ou "A Profundeza"? Ele lembra suspeitamente Tiamat, a deusa do caos e do mar. Será Tehom o fóssil de uma deidade pagã, ainda suficientemente poderosa para se insinuar para dentro da Bíblia? Quem foram os Grandes Monstros do Mar trazidos à vida no quinto dia da criação, e por que são escolhidos em meio a outras criaturas de Deus? Quem foi Leviatã?

Ah, Leviatã. O gigantesco despertador de imagens vívidas, desde Thomas Hobbes, passando por Herman Melville até os *Piratas do Caribe*. Essas linhas obscuras e aflitivas do Livro de Jó devem ter abalado muitas mentes infantis: "E que seja essa noite desolada; que alegria nenhuma venha para esse lugar. Que os praguejadores do dia o amaldiçoem, que se disponham a despertar Leviatã". E que imagens para a leitura de uma mente infantil! O pequeno Isaac Bashevis Singer, perambulando pelas atulhadas ruas de Varsóvia pela primeira vez na vida, passeando com seu amigo com experiência das ruas Boruch-Dovid pelas verdes margens do rio:

"Esse é o Vístula", explicou Boruch-Dovid. "Ele corre todo o caminho até Danzig."
"E então?"
"Então ele corre para o mar."
"E onde está o Leviatã?"
"Muito longe, no fim do mundo."
Então os livros de histórias não contavam mentiras, afinal. O mundo está cheio de prodígios.

Os prodígios, para Isaac, embora talvez não para Boruch-Dovid, nasciam todos nos livros. Só mais tarde eram impressos na vida real, estimulados pela recordação das palavras, despertados pelo Leviatã da maravilha textual.

Entre diversos grandes eruditos que informaram nossas leituras bíblicas ao longo dos anos, a historiadora entre nós recorda-se afetuosamente de ler Umberto (Moshe David) Cassuto e Yehezkel Kaufmann. Eles nos ensinaram a buscar por remanescentes pagãos, idólatras e míticos sob o apertado espartilho monoteísta da Bíblia. Sua erudição fluía sedutoramente nas aulas de Bíblia seculares. Eles nos mostraram que a postura crítica pode ser deliciosa.

Tudo isto para dizer que o passado judaico está fortemente entrelaçado com os passados de outros povos. Quando Flávio Josefo, nascido Yosef ben Matitiyahu, escreveu suas histórias dos judeus em grego, no século I EC, estava claro que todas as histórias estão constantemente cruzando caminhos. É preciso ser um obstinado separatista cultural para ignorar os temas universais. "Um povo que habitará sozinho, e que não será contado entre as nações"? Vamos deixar disso, Balaão. Havia constante reconhecimento mútuo. A singularidade e as peculiaridades da história judaica são precisamente o que levou os judeus ao contato com tantos outros povos, culturas e ideias.

Nós somos uma nação com muito mais história do que geografia. Como um Forrest Gump primevo, parecemos brotar misteriosamente em cada encruzilhada importante nos anais do Oriente Médio e da Europa. Nossos nomes, palavras, conceitos e ideias retornam à superfície hoje em toda parte. Há Beléns na América, Moabitas em Berlim e Rebecas em Hong Kong. Parece que já tocamos em tudo. E ainda assim, por muitos séculos muitos judeus permaneceram fora da história, seguindo suas próprias inclinações. Os rabinos da Diáspora de uma vertente messiânica, que identificaram o fim do exílio judeu com o próprio fim dos tempos, passaram a vida aguardando a qualquer momento o soar das Últimas Convocações. Judeus em alguns lugares eram enterrados segurando galhos firmes, para cavar seu caminho por baixo da terra até Jerusalém quando o Messias tocasse sua trombeta. Também hoje alguns judeus se propõem a viver somente segundo seu cronômetro interno coletivo. Muitos outros foram sujeitos a um rude despertar, quando a história do século XX destruiu seu tempo judaico. Sionismo, marxismo, secularismo, vida moderna, morte pelas Waffen SS.

Algumas formas judaicas de lidar com o tempo nós consideramos brilhantes e bizarras. Há momentos em que o próprio Vovô Relógio parece se tumultuar, retorcer e dar piruetas. Consideremos dois judeus verdadeiramente atemporais, o profeta Zacarias e Albert Einstein. Zacarias previu a chegada próxima de um dia, só Deus sabe quando, que "não será dia nem noite", simultaneamente noite e meio-dia, ao mesmo tempo verão e inverno. Albert Einstein, de seu lado, mudou nossa compreensão do tempo incorporando-o como fator em sua teoria da relatividade particular, e espirituosamente afirmou: "A única razão para o tempo é para que tudo não aconteça simultaneamente".

Não entraríamos aqui na interligação tempo e espaço de Einstein mesmo que pudéssemos, porque não vemos sua teoria da relatividade particular como particularmente judaica (exceto em sua pura *chutzpá*). Em vez disso, convidamos você a mergulhar no sentido bíblico da santidade. Talvez fique surpreso ao descobrir que não existe "terra santa" na Bíblia, e o único local sacrossanto é o Templo de Jerusalém, o Monte Sagrado de Deus. No entanto, há muitos "tempos santos". Nos dias santos todo o povo — independente de posição ou gênero — era convidado a participar da "leitura santa". No Talmude a língua hebraica, não mais usada diariamente, tornou-se a "língua santa". Logo, quando os judeus perderam Jerusalém e seu Monte Sagrado, ainda puderam levar consigo para a amarga Diáspora suas santidades não espaciais, intangíveis: a língua, as leituras e o sempre recorrente, ciclicamente confortante calendário de "tempos santos".

Não que os judeus algum dia tivessem tido uma filosofia sólida do tempo. Eles têm várias. Por exemplo, o tempo pode assumir um formato circular. Eclesiastes o disse melhor:

> Aquilo que foi é aquilo que será, e aquilo que foi feito é o que será feito; e não existe nada de novo sob o sol. Existe alguma coisa da qual se diz: "Vê, isto é novo"? — Isto já foi, nas eras que foram antes de nós. Não há nenhuma lembrança daqueles que vieram primeiro; tampouco haverá qualquer lembrança daqueles que virão por último.

Bem decepcionante, sim senhor. Contudo, o encantador tédio de Eclesiastes não o impediu de elaborar sua poesia. Sua arte singular brilha através desses versos, dizendo-nos: "Vê, isto é novo!". Temos certeza de que esse autor — Salomão, pela tradição, embora seu vocabulário hebraico ateste uma época posterior — tinha um ego poético, e esperava que a posteridade se lembrasse dele. E lembrou. Merecidamente.

Você pode querer saber por que pensamos que Eclesiastes era homem. Se o Cântico dos Cânticos pode ter tido uma autora mulher, por que não o livro seguinte na prateleira bíblica? Bem, chamemos isto de intuição de leitor veterano, mas apostamos que é um texto masculino. O langor e o cansaço terreno, o exuberante desespero associado a uma postura blasé são masculinos, e bastante aristocráticos. Pode muito bem ter sido o próprio Salomão.

Mas o senso de Eclesiastes de que o tempo não tem significado não era absolutamente típico de autores israelitas antes dele ou escritores judeus depois dele. Achamos que ainda hoje ele é fora do padrão. Mesmo o terapeuta vienense Viktor Frankl, sobrevivente de Theresienstadt e Auschwitz, tendo perdido quase todo mundo que amava, ainda teve mais uso para a palavra *esperança* do que *desespero* em seu *A busca do sentido* (1946). Da mesma forma, Mischa, em *Jakob, o mentiroso* de Jurek Becker, diz a si mesmo e seus companheiros de gueto: "Faz sentido sim falar do futuro". O Holocausto não produziu um Eclesiastes tardio. Suicídios, sim. Indivíduos que perderam a batalha para o significado, sim. Mas ninguém escreveu, depois de Auschwitz, algo parecido com "não há nada de novo sob o sol". De alguma maneira, a circularidade ou repetição da história não era mais uma opção.

Então consideremos a linearidade. Existe uma linearidade moderna, pós-iluminista, que nossos contemporâneos reconhecem com facilidade. Estamos progredindo rumo a um futuro glorioso, ou correndo rumo a uma funesta catástrofe gerada pelo homem, ou (menos provavelmente, parece no momento) movimentando-nos num equilibrado e eterno platô do fim-da-história. São três lados da mesma moeda moderna. É uma linearidade secular, para melhor ou para pior, proveniente de um passado totalmente humano, e levando a um futuro instigado por nós. Não existem terminais fora deste mundo.

A linearidade mítica ou religiosa é outra história. Seu começo e seu fim são etéreos. A Grécia Antiga tinha mitos de uma existência humana inicial simples (autores posteriores a associaram à Arcádia) e um doce reino pós-vida, o término do tempo, o Elísio. Poderíamos pensar que existem claros equivalentes hebraicos. O Jardim do Éden não se encaixa na primeira, e o "fim dos dias" de Isaías não é paralelo ao segundo?

Bem, o Éden do livro de Gênesis é indiscutivelmente comparável a outros mitos sobre o começo do tempo humano. Mas a estação final judaica é mais questionável. O que Isaías teve em mente, ao falar do "fim dos dias", não é um Elísio grego, muito menos um Segundo Advento cristão, nem o Armagedon, ou o

Juízo Final. A visão de Isaías tem lugar na terra, a política ainda tem sentido e a vida ainda é física.

Não podemos resistir a uma digressão sobre o Armagedon.
São João Evangelista identificou o Monte Megido como a cena da Última Batalha entre o Satã e Deus. Armagedon deriva da forma grega do hebraico *Har Megido* — Monte Megido. É um acidente geográfico claro, parte da cordilheira do Carmel. Megido é um dos primeiros assentamentos conhecidos da região, datando dos tempos neolíticos. No decorrer dos milênios foi um domínio que pagava tributos ao Egito, uma fortaleza canaanita e uma cidade murada israelita. No vale abaixo, em 609 AEC, o rei do Egito derrotou e matou Josias, rei da Judeia. Hoje é um parque arqueológico muito bem conservado.

Em seu provocante livro *The Bible Unearthed: Archaeology's New Vision of Ancient Israel and the Origin of Its Sacred Texts* [A Bíblia desenterrada: A nova visão da arqueologia sobre Israel antigo e a origem de seus textos sagrados], dois arqueólogos que já mencionamos, Israel Finkelstein e Neil Asher Silberman, argumentam que os achados científicos cada vez mais contradizem a narrativa bíblica, ou pelo menos não a consubstanciam. Davi e Salomão reinaram sobre um reino pobre e politicamente insignificante. Jerusalém era uma aldeia grande. O primeiro reino da Judeia nos deixou poucos remanescentes materiais, e o que restou é desanimadoramente escasso. Eis o subtexto não sentimental: Davi e Salomão, suas cidades e sua glória, tudo foi exagerado por reis posteriores e seus ágeis cronistas. Esses monarcas que vieram depois, membros da dinastia omrida, fabricaram e engrandeceram o passado de Davi para seus próprios fins. Podem chamar de ficção pia ou relações-públicas. Adiante.

Megido, também, dizem Finkelstein e Silberman, não foi a

grande cidade de Salomão como arqueólogos anteriores, curvando-se à convenção bíblica, tinham como certo. Ela foi fortificada por reis omridas mas pouco teve para se vangloriar em tempos mais antigos. Nossa grande narrativa bíblica de Saul, Davi e Salomão — para não mencionar todas as figuras que alegadamente os precederam — é uma invenção ainda mais tardia, composta a partir de velhos contos de escribas do mesmo rei Josias que pereceu no Vale de Megido.

O livro de Finkelstein e Silberman é considerado uma provocação. Alguns arqueólogos partilham de observações similares, enquanto outros estudiosos alegam que as histórias bíblicas são sofisticadas e civilizadas demais para terem sido elaboradas nos ambientes grosseiros que esses autores sugerem. Ademais, muitos leitores, como nós, recusam-se a ficar chocados. Nossa Bíblia é feita de textos intrincados, não de escavações decepcionantes. "Literatura e historiografia", escreve Rachel Elior, "documentam camadas linguísticas, históricas e culturais com muito mais clareza e precisão, retratando o mundo do escritor muito melhor, do que pilhas de pedras, cujo sentido vago não é concretamente decifrável."

Num vibrante debate público que começou mesmo antes de *The Bible Unearthed*, a maior compositora de Israel, Noemi Shemer, lançou uma tirada memorável: "Não sou especialista em arqueologia, mas quem se importa se aconteceu ou não? Suponha que a Bíblia nunca tenha sido, que tenha sido apenas uma fábula; penso que a fábula é mais viva que todas as pedras".

Nós, da nossa parte, nos importamos sim, e adoraríamos saber "se aconteceu ou não", se pudéssemos. A Bíblia, para nós, é um ardiloso coquetel de fatos, mitos e do tipo de ficção que pode encerrar verdades profundas. Mas concordamos sinceramente com Shemer em seu ponto fundamental. A grandiosidade de Israel antigo não é uma questão de cidades e reis. A vida material pode muito bem ter sido crua, com prédios mal construídos e vestimentas grosseiras. O esplêndido palácio de Salomão pode muito bem ter sido uma frágil habitação, um gracejo ou uma fábula. Com toda honestidade, a arquitetura judaica antiga não é um fator importante de orgulho.

Mas os textos são suntuosos.

Gênesis, Isaías e Provérbios são as nossas pirâmides, nossa Muralha da China, nossas catedrais góticas. Elas se sustentam incólumes com o fluxo do tempo. E alimentaram uma abundância de gerações: da Mishná para a Haskalá, da poesia sefaradita medieval para a literatura hebraica moderna, de Gotthold Ephraim Lessin a William Faulkner, todos puderam beber desses poços profundos.

Este livro não é sobre assuntos correntes. Não estamos trazendo a nossa fatia de história e continuidade judaicas para ter influência no conflito israelense-palestino dos dias de hoje. Mas não podemos ignorar o significado político da nossa reivindicação a uma linha de texto judaica, nem a nossa crença na superioridade dos livros sobre restos materiais. Nosso senso de história judaica, que de fato brota da Bíblia, não necessita que a Bíblia represente a própria palavra de Deus. E tampouco exigimos que ela seja "historicamente acurada". Longe de nós usar as Escrituras para respaldar uma reivindicação judaica para toda a extensão do lendário império de Salomão, e para toda pedra em seu interior. E tampouco temos qualquer uso ideológico para o fato de a Jerusalém bíblica ser uma cidade gloriosa de grandes edifícios. Nossa herança é compilada a partir de alguns modestos acidentes geográficos e uma grande estante de livros.

Dividiremos com prazer a nossa nebulosa, difusa geografia bíblica com nossos vizinhos palestinos, se eles também abrirem mão de um pouco do seu passado em prol do futuro. Quanto aos livros, nunca se questionou a ideia de mantê-los para nós mesmos.

Agora voltemos a Megido.

Hoje é um kibutz, fundado por sobreviventes do Holocausto e ex-partisans, encarapitado aos pés do grande sítio arqueológico. Ônibus carregados de turistas chegam para ver no que se transformou o Armagedon. Mas, para gerações de israelenses criados na literatura infantil hebraica, o nome desperta um acorde totalmente diferente. Ele pertence aos primeiros versos de um livro adorado da poeta Leah Goldberg, o que temos de mais próximo a uma canção de ninar clássica:

> *Pluto é um cachorrinho do Kibutz Megido,*
> *Ele tem tudo em essência: um cozido e um ossinho.*
> *Tudo muito bem, mas a essência da questão é*
> *Que está cansado de sentar aqui sozinho.*

É isso que fazem as palavras: brincadeiras conosco. Se a criança que ouve e a criança que lê já conseguem perceber que "essência" significa duas coisas diferentes nestes versos, camadas adicionais de duplos sentidos emergirão aos olhos dos adultos. Palavras geram diferentes significados para diferentes ouvidos, épocas, culturas e idiomas. O seu Armagedon é o meu Kibutz Megido. O lar do cachorrinho Pluto de Goldberg é o campo da Última Batalha de São João, contra o Anticristo. O meu versinho de infância é o seu fim dos tempos apocalíptico. E esta é uma das muitas razões pelas quais adoramos palavras.

Isaías e Mica falaram do "fim dos dias". Daniel mencionou o misterioso "fim dos prodígios". Note que estas expressões denotam tempo, não lugar. Não são nem o Paraíso nem o Elísio. O "fim" será parte da história humana. É uma era futura de bem-aventurança, mas bem-aventurança corpórea, mesmo política, com comida e casa e cidades e paz. Daniel, um místico, diz que os mortos despertarão e os justos serão recompensados. Mas Isaías e Mica, com suas mentalidades políticas, estão mais interessados em relações internacionais. Muitas nações subirão para Jerusalém, e atentarão ao Deus de Israel, e cessarão de praticar a guerra. O mundo físico e sua diversidade de povos continuarão a existir. O povo ainda cultivará o campo, apreciará prazeres sensuais e tratará o próximo com gentileza.

Em outro lugar da Bíblia "o fim dos dias" denota um futuro distante, mas histórico, como no discurso seminal de Jacó para seus doze filhos. Há uma suave continuidade entre a linguagem da vida real e a linguagem da prometida bem-aventurança divina. O mesmo vale para aquela imagem idílica, "todo homem sob sua vinha e sob sua figueira". Em 1 Reis, 2 Reis e Isaías, esta frase, com pequenas variações, refere-se ou a um período histórico passado ou ao futuro próximo, como promessa política. Mas em Mica é parte do "fim dos dias". Então sim: mesmo nessa época haverá vinhas e figueiras para sentar debaixo delas. Haverá propriedade privada dessas vinhas e figueiras. No entanto, *todo mundo* possuirá uma vinha e uma figueira. Vamos comer e beber e nada temer.

Séculos depois, as fontes rabínicas e do Midrash caíram sob a influência da escatologia pagã e cristã, criando uma nebulosa noção judaica de um Dia do Juízo e de uma bem-aventurança eterna não terrena. Mas há uma pequena diferença: mesmo nesse vago paraíso judaico, fora deste mundo, comida e bebida ainda precisam ser servidas. Sem comida, como se pode estudar seriamente a Torá por toda a eternidade? Então a mesa judaica é servida com livros e delícias mesmo no pós-vida.

Uma versão retrata um grande banquete sem fim. É só para homens, e justo para homens. Os Justos se banquetearão com a carne do Leviatã e do Boi Selvagem (também chamado Behemot) e tomarão "vinho preservado". A Guemará diz que o próprio Deus servirá o banquete, preparado com monstros derrotados depois que eles se aniquilarem mutuamente. O conto hassídico fica feliz em repetir a história, mas acrescenta que Leviatã e Behemot também representam dois tipos de intelecto: etéreo e terreno. Na novela de Haim Be'er, *Back from Heavenly Lack* [De volta da carência celeste], o autor — criado numa família ortodoxa de Jerusalém e familiarizado com cada canto e fenda dos textos judaicos — faz maravilhosos jogos interpretativos com a história.

Mas as esposas desses homens justos que se banqueteiam, seguindo a boa moda talmúdica, não estão à mesa. Elas são os descansos e apoios para os pés dos maridos. Literalmente. Pelo menos não precisam cozinhar o banquete.

E isso nos lembra uma pequena pérola de Isaac Leib Peretz, *Sholem Bayis* [Paz doméstica]. Brotando da Polônia do fim do século XIX, é a história de um simples carregador e sua esposa, Haim e Ana, que são pobres, contentes e profundamente apaixonados. Ele provavelmente é analfabeto, mas vai à sala de estudo todo Shabat para "ouvir a Torá". Ela não pode se permitir comprar comida suficiente, mas "cozinha como um anjo" e conhece a oração de Shabat de cor. O filho mais velho estuda no *heder*. Que Tolstói se revire no túmulo! Esta bela história é sobre uma família feliz.

Exceto que Haim está preocupado se é merecedor de bem-aventurança eterna.

> E uma vez, após o estudo, aproximou-se do *melamed* e disse:
> Rabi! — e sua voz treme muito — Rabi, como faço para merecer uma vida depois da vida?
> [...] — Toda noite traga para os estudantes da Torá na sala de estudo água fria para beber.
> A face de Haim brilhou de alegria.
> — E então merecerei a outra vida?
> — Com a misericórdia de Deus.

— Rabi, Haim continuou a perguntar, e minha esposa?
O *melamed* lhe disse que o marido faz por merecer pela esposa, e quando ele sentar em sua cadeira no Jardim do Éden, sua esposa será o descanso de seus pés.

Haim voltou para casa para fazer a *havdalá* com o copo de vinho, e Ana sentou e rezou "Deus de Abraão".
E Haim lhe disse o que o *melamed* dissera, mas ao falar foi subitamente tomado de pena por ela, e exclamou:
— E eu lhe digo, Ana, eu não quero isso! Nunca vou concordar que você seja o descanso para os meus pés — vou erguer você e sentar você do meu lado direito, e nós vamos sentar juntos! Há espaço suficiente para nós dois numa cadeira! E eu tenho certeza — acrescentou bravamente — que o Santo, bendito seja seu nome, iria concordar, é claro que iria concordar, *contra sua vontade* iria concordar.

O grifo está no original. Que historinha significativa é "Paz doméstica". Num microcosmo, contém quase todos os temas expostos no presente livro: família e estudo, comida e texto, diferenças de gênero e rebelião contra elas, tempos passados e a posteridade atemporal, junto com a dura vida de labuta diária. Ela tem aquela persistente mistura de reverência e irreverência que caracteriza os melhores textos judaicos. E chega a incluir aquele raro mas recorrente momento em que se diz a Deus, com todo o respeito devido, deixe que nós cuidamos de nós mesmos.

As fontes judaicas habitualmente não dedicam muito tempo ao fim dos tempos. Mostramos como "o fim dos dias" pode ser lido num sentido temporal, uma distante perspectiva terrena. O retorno da Diáspora predito por Jeremias e o ataque de Gog profetizado por Ezequiel também ocorrem dentro da história política.

Mas a tomada judaica do tempo linear não é a marcha moderna da história. O proeminente paradigma iluminista de progresso vê o tempo como uma seta lançada do passado para o futuro. A mente moderna "olha em frente" ou "olha para a frente", para os dias que estão por vir, "progride" para tempos melhores e "escuta atrás" para tempos passados.

A língua hebraica sugere algo assustadoramente diferente. Quando falamos hebraico, literalmente estamos postados no fluxo do tempo com as costas para o futuro e a face virada para o passado. Nossa própria *postura* é diferente da concepção ocidental de tempo.

Devemos esta espantosa percepção ao moderno estudioso talmúdico Rabi Adin Steinsaltz, estendida pela autora e ensaísta Shulamith Hareven em seu brilhante ensaio "Linguagem como Midrash". "Steinsaltz uma vez definiu o tempo judaico como se o orador hebraico estivesse na margem de um rio, olhando correnteza acima, contra a corrente", escreve ela. A palavra hebraica *kedem* significa "tempos antigos", mas o derivado *kadima* significa "para a frente" ou "adiante". O orador hebraico literalmente olha adiante para o passado.

Da mesma maneira, *lefanim* é "muito tempo atrás" mas também "na frente de", ou literalmente "diante de". Da mesma forma Hareven mostra que *achareinu* significa "depois de nós" em dois sentidos: "atrás de nós" e "no futuro". De fato, considere o "fim dos dias" bíblico que acabamos de discutir, *achrit ha-yamim*. Como o acima mencionado *achareinu*, o *achrit* de Isaías e Mica deriva de *achor*, "para trás".

Como registro: *achor* também significa "lado de trás", como no espirituoso dito talmúdico: "O lado de trás de um leão é melhor que o lado de trás de uma mulher". Mas não vamos nessa direção.

Se Rabi Steinsaltz nos viu, nós que falamos hebraico, postados junto ao rio do tempo olhando correnteza acima, os presentes autores preferem nos imaginar nadando nesse rio, certamente junto com a correnteza, mas com as pernas na frente, e o rosto virado para trás, para a longínqua nascente do rio.

Será esta uma postura reacionária? Num certo sentido, sim. Alguns judeus que vivem hoje são realmente voltados para o passado sob aspectos que outros judeus, como nós, consideram restritivos e debilitantes.

Mas, em outro sentido, esta forma judaica de olhar para a frente virado para trás é um metáfora para a vida humana em geral. Pegando uma imagem moderna que uma vez escutamos, mas não conseguimos nos lembrar onde: a vida é como guiar um carro com o para-brisa dianteiro opaco. Tudo que você tem para se orientar são os seus espelhos retrovisores. É assim que estamos destinados a guiar.

Há algum mérito em mover-se na história com um olho no passado. Ser informado e seletivo; conhecer as histórias e decidir sozinho o que é orgulhosamente exibido na sala de estar e o que vai juntar poeira no porão. Que o passado fique no passado, e que as relevâncias ressurjam.

A família etimológica de *kedem* fornece um caso intrigante a este respeito. *Kedem* significa não somente "tempos antigos" mas também "leste". Na verdade, é provável que "leste" tenha sido o primeiro significado. Pode ter se referido à origem de Abraão na Mesopotâmia. Agora, os acadêmicos há muito têm associado o Éden com a Mesopotâmia: lembre-se que Deus pôs Adão, e subsequentemente criou Eva de sua costela, em "um jardim a leste em Éden", *gan be'eden mikedem*, banhado por quatro rios, inclusive o Tigre e o Eufrates. Uma geração depois, após matar Abel, Caim "habitou na terra de Nod, a leste do Éden".

Mais significativa ainda é a palavra *kadima*, derivada de *kedem*. Ela significa "para o leste" na Bíblia, "antes de" ou "precedendo" no Talmude, e "adiante" ou "avante" no hebraico moderno. Por mais que hoje a palavra denote progresso, inspirada pelo termo ídiche-modernista *forwerts* (פֿאָרווערטס), sua utilização antiga aponta para a direção oposta, voltada para o passado.

Para os judeus da Diáspora, o Leste não era mais a Mesopotâmia, mas Jerusalém. Isso não era geograficamente justo para os judeus da Babilônia — o moderno Iraque — ou para as comunidades persa, iemenita e indiana. Mas serviu para os judeus da Europa e do Norte da África. Três vezes ao dia os homens rezam virados para Jerusalém, e cada sinagoga tem uma Parede Oriental. Assim, cada judeu observante literalmente olhava, e ainda olha, para diante, para o leste e para o passado distante, ao mesmo tempo. Tudo numa única palavra.

Tais significados múltiplos tornam a palavra *kadima* comparável à palavra *oriente*, de origem latina, denotando subida (como o sol subindo), leste e direção. Mas a mistura de *kadima* é ainda mais rica, porque envolve ao mesmo tempo progresso e antiguidade, fazendo dela uma das palavras mais poderosas no léxico da moderna volta ao lar judaica.

Quando o movimento sionista despertou o hebraico de seu sono nos livros, surgiram usos novos e excitantes. Um dos mais famosos, as primeiras duas estrofes do empolgante poema de Naphtali Herz Imber, *Tikvatenu* (Galícia, 1878). Essas estrofes foram posteriormente renomeadas *Hatikva* [A esperança] e se tornaram o hino nacional de Israel. Eis uma tradução do original, que foi modificado apenas ligeiramente na versão posterior:

Enquanto no coração, dentro dele,
Uma alma judia ainda anseia,
E voltado para o Leste, para a frente [kadima],
O olho observa Sião,

Não se perdeu ainda nossa esperança
A antiga esperança

De regressar à terra de nossos pais
A cidade onde Davi acampou.

Leste e Antiga ainda estão aí, mas o significado de *kedem* como olhar-para-a-frente torna-se prioritário no pensamento sionista. Sua visão era nova, de fato revolucionária: nada de redenção divina, nada de mortos se erguendo coletivamente às portas de Jerusalém, mas uma exigência humana da terra bíblica, soberania secular moderna e renovação cultural para os judeus.

Kadima é portanto uma criação linguística única, progressista e ao mesmo tempo desafiadora do progresso. Por muitas gerações, os judeus permaneceram na correnteza do Tempo com a face voltada para o passado e as costas para o futuro. Até que veio a modernidade e os sacudiu bruscamente, virando-os na direção oposta, muitas vezes como rígida condição para sua sobrevivência.

Queremos lhe assegurar que a maioria das pessoas que falam o hebraico moderno não anda para trás no tempo. Nós compartilhamos a imagem ocidental de progresso. Mas o nosso próprio idioma secretamente usa um compasso diferente. Ele ainda segue o antigo olhar hebraico até Abraão, conduzindo seu clã e ovelhas de Ur Kasdim para a Terra Prometida.

Consideremos agora outro tratamento judaico do tempo. Não é um tratamento linear, nem mesmo linear virado para o passado. Ele nega totalmente a cronologia.

"Não há cedo ou tarde na Torá." O primeiro homem a colocar este princípio nos registros foi o mishnaico Rabi Eliezer, filho de Rabi Jose da Galileia. Os grandes cânones da exegese judaica, inclusive Rashi, seguiram seus passos. Repetindo esta frase com variações, insistiam em que a essência da Torá, texto original ou interpretação dos sábios, não pertence a qualquer linha temporal. É um corpus de verdade pura e perene.

Nahmânides, da sua parte, objetou. A Torá não é atemporal, disse o rabi do século XIII, nascido na Catalunha e sepultado na Terra Prometida. Devemos prestar atenção à cronologia bíblica e à sequência da narrativa. Este pilar da Sefarad medieval, Moshe ben Nahman sendo seu nome hebraico, ainda acreditava, é claro, que a Bíblia diz as próprias palavras de Deus. Foi preciso o gigante do início da era moderna Baruch Spinoza para dizer em alto e bom som que os textos bíblicos são plena e falivelmente históricos. Que eles contêm erros e contradições e deveriam ser lidos com olhar científico, com a lente de aumento de um filólogo.

Spinoza sofreu por esta percepção. Em 1656 foi relegado ao ostracismo pela comunidade judia portuguesa de Amsterdã. Tinha apenas 23 anos, talvez o primeiro judeu moderno, evidentemente o primeiro intelectual dilacerado da judiaria moderna. Até hoje, Jerusalém não tem nem sequer uma rua batizada em sua homenagem. Mas será que Spinoza foi expulso da memória judaica? Pergunte aos jovens judeus que começaram a ler suas obras em alemão durante o século XVIII, entre eles Moses Mendelssohn e Solomon Maimon. No século XIX discussões em ídiche e traduções hebraicas de Spinoza eram acessíveis para estudantes de *yeshiva* da Europa Oriental, os quais as liam secretamente, debaixo da mesa, longe do olhar do rabino. Talvez alguns dos rabinos na verdade o tenham lido também. Spinoza foi uma das primeiras vozes novas infiltrando-se no vasto mundo fechado da ortodoxia asquenazita, fazendo soar os sinos de um mundo em mudança e encorajando os olhos bem treinados a passar para novos tipos de textos.

Mas Spinoza não foi o primeiro a negar a própria historicidade da antiga narrativa, relegando-a para o domínio da abstração e de um constructo intelectual. "Quando foi Jó?", pergunta o Talmude de Jerusalém, e os rabinos discutem: foi ele contemporâneo de Abraão? Talvez de Jacó? Será que a história de Jó corre paralela ao livro dos Juízes? Talvez Ester? Cada hipótese é sustentada por bela e escrupulosa evidência textual. Até que Rabi Shimon ben Lakish se cansou desse jogo todo. "Jó não aconteceu", diz ele, "e não acontecerá." O Talmude babilônico tem um equivalente famoso. "Jó", diz ele, "nunca existiu e nunca foi criado, mas foi uma fábula."

O que ecoa o comentário de Noemi Shemer, e a nossa própria posição, na disputa com a arqueologia bíblica: por que haveria de ter importância para nós se as histórias bíblicas são fato ou parábola? A incompatibilidade da Bíblia com os achados científicos não deprecia a Bíblia. Boas histórias carregam sua própria forma de verdade, e existe mais de um meio de construir um palácio para a posteridade. Mesmo o Talmude, cujos eruditos obviamente endossariam a historicidade da Bíblia, ousou sugerir — pelo menos com respeito ao evasivo Jó — que certas verdades não são históricas mas alegóricas.

Assim, se as linhas não são tão claras, nós agradecemos. Nahmânides está em desacordo com Rashi sobre a importância da cronologia bíblica, e anuncia o iconoclasta Spinoza. Shemer discute com os colegas seculares Finkelstein e Silberman. E os autores do presente livro, estranhos a muita coisa afirmada pelo Talmude, saúdam seu sofisticado senso de parábola e símbolo.

Agora vagamos para longe do fluxo do tempo, qualquer que seja sua direção, para entrar na belíssima parábola do pomar. Na literatura judaica houve diversos passeios famosos em jardins de árvores, todos ecoando remotamente aquele primeiro passeio fora do Jardim do Éden. O Cântico dos Cânticos, por exemplo, tem o narrador (um Salomão simbólico? Uma possível Abisag?) "descendo para o jardim das nozes, para olhar as plantas verdes do leito do rio, para ver se a vinha floriu, se as romãs deram brotos".

Mas gerações posteriores foram afastadas deste tipo de agricultura erótica. Em interpretações pós-bíblicas, é claro, todo o Cântico dos Cânticos é visto como um pio intercâmbio entre o Povo de Israel e seu amado criador.

A versão talmúdica do passeio no bosque é, sem constituir surpresa, alegórica. O pomar é a Torá, até seus mais profundos, labirínticos e perigosos segredos. "Os Rabis disseram: quatro entraram no pomar. E são eles: Ben Azai e Ben Zoma, Acher e Rabi Akiva [...] Ben Azai espiou e morreu [...] Ben Zoma espiou e se feriu [...] Acher cortou as mudas. Rabi Akiva saiu em paz."

Lembra-se de *Acher*? Era Rabi Elisha ben Abuya antes de se tornar o "Outro", e sua história é vista como explicação do colapso de sua fé, "cortando as mudas", levando seu intelecto sem igual para longe da sala de estudo da Mishná, para a apostasia, para os romanos, para as sabedorias estranhas dos gentios. Ele foi o traidor máximo, mas o Talmude ainda o mantém nos registros. Seu nome não foi esquecido.

Uma interpretação viável da parábola do pomar é que as profundezas máximas da aprendizagem judaica não são para todo mundo. Há graus de requisitos de intelecto e fé para mergulhar fundo, mais fundo e mais fundo. Em ordem crescente, morte, loucura e perda de fé aguardam os incapazes de lidar com o núcleo interno da sabedoria. Apenas Akiva voltou para casa são e salvo.

Coerentemente há portões de entrada quádruplos para a Torá, dependendo de onde se está como leitor. Nahmânides arrumou os quatro níveis de interpretação. Seus tipos de exegese estão correlacionados com os dos teólogos cristãos medievais: literal, anagógico, alegórico e místico. Eruditos judeus subsequentes tais como Moses de Léon referiram-se aos quatro portões como *peshat*, *remez*, *drash* e *sod*: simples leitura, insinuação, indagação e segredo. Eis um espectro rico o bastante para se estender através de todas as variedades de leitura judaica, da racionalista à oculta.

As primeiras letras de *peshat, remez, drash* e *sod,* assim ensinou o grande cabalista Rabi Isaac Luria, apelidado de Santo Ari, combinam-se para formar a palavra hebraica *pardes,* pomar. Nosso círculo antigo está portanto fechado. O jardim, já uma metáfora, torna-se um acrônimo.

Afastados do bosque bíblico das nozes do desejo terreno, durante séculos os rabinos viveram em plantações de palavras. Mesmo o Santo Ari, cuja residência era a empolgante cidade de Safed no alto das montanhas da Galileia, tinha olhos apenas para palavras. Palavras e outros glifos, notavelmente números, podiam conduzir você para dentro dos ciclos místicos da sagacidade eterna. Não era necessária nenhuma outra paisagem.

É claro que os talmudistas e seus descendentes não achavam que a Bíblia inteira era uma invenção. Nem Shemer. Nem nós, no nosso mundo israelense moderno, que é feito de pomares físicos bem como de pomares verbais. A Bíblia seguramente transmite alguns fatos históricos. Juntamente com esses fatos e não restrita por eles, ela sabe muitas coisas que a história sozinha não pode divulgar.

O que os rabinos sim sugeriram, e nós concordamos, é que as histórias antigas podem funcionar independentemente de verificações sólidas. A ficção, ao contrário de mentiras e distorções ideológicas, inventa tramas e brinca com a evidência, ao mesmo tempo em que nos conta coisas sobre o universo e a humanidade que reconhecemos como genuínas e profundas. Como escreveu certa vez o romancista entre nós, fatos às vezes se tornam terríveis inimigos da verdade.

Ao sairmos do pomar, a ideia central da atemporalidade judaica entra em foco. Uma ideia assustadora. Ela não é cíclica nem linear. E tampouco alegoriza histórias bíblicas. Em vez disso, diz que tudo acontece ao mesmo tempo. Todas as mentes que já viveram são contemporâneas.

Peguemos a história de Deus, Moisés e Rabi Akiva reunindo-se no Monte Sinai. É um naco de puro Talmude, e somos gratos ao sábio israelense contemporâneo Haim Be'er por chamar primeiramente nossa atenção a ela.

> Quando Moisés ascendeu às alturas encontrou o Santíssimo, bendito seja, envolvido em afixar diademas às letras. Disse Moisés: "Senhor do Universo, quem fica Tua mão?". Ele respondeu: "Surgirá um homem, no fim de muitas gerações, Akiva b[en] Yosef seu nome, que exporá sobre cada título pilhas e pilhas de leis".

Estamos no Monte Sinai. O povo de Israel está esperando impacientemente no vale abaixo. Mas Deus se demora com as Tábuas, criando coroas no topo das letras hebraicas, e talvez mesmo tentando uma revisão de provas final. Por que o Santíssimo está tão exageradamente cuidadoso? Porque um milênio e meio depois o talmudista Akiva surgirá e transformará os Dez Mandamentos em pleno corpus legal.

A meticulosidade de Deus é fascinante. Nós voltaremos a ela. Basta dizer, neste ponto, que não temos conhecimento de nenhuma outra deidade (inclusive de outras religiões monoteístas) surpreendida por um homem mortal no ato de cinzelar ornamentos num texto escrito em pedra, para o benefício futuro de outro homem mortal. Deuses geralmente não fazem esse tipo de coisa.

Ao ouvir a explicação do Todo Poderoso para o seu ligeiro atraso no horário da entrega da Torá, Moisés parece um pouco ciumento. Nasce uma rivalidade intelectual, do tipo tão frequente no estudo judaico. Tais rivalidades podem facilmente saltar gerações. Neste caso extremo, um gigante hebreu está vislumbrando as façanhas de outro mestre judeu, quinze séculos mais novo.

"Senhor do Universo", disse Moisés, "permiti-me vê-lo." [Deus] respondeu: "Vira-te". Moisés [encontrando-se na sala de aula talmúdica de Akiva] foi e sentou-se oito filas atrás.

Não sendo capaz de acompanhar as discussões ele ficou pouco à vontade, mas quando chegaram a certo assunto e os discípulos disseram ao mestre "De onde sabes isto?", este retrucou: "É uma lei dada a Moisés no Sinai", Moisés ficou confortado.

Por que Moisés ficou confortado? Por causa da confirmação de que seu nome e credenciais seriam lembrados. A história permite a Moisés prever o valor atemporal dado a ele na história judaica, sempre presente em ambientes futuros inconcebíveis para ele, em discussões e textos futuros ilegíveis para ele. A história leva a pessoa histórica Moisés a encontrar Moisés o profeta atemporal. Este encontro é simultaneamente fora do tempo e profundamente consciente do tempo. "Ao que ele retornou ao Santíssimo, abençoado seja Ele, e disse: 'Senhor do Universo, Vós tendes tal homem [Akiva] e Vós dais a Torá por mim!'. Ele replicou: 'Cala-te, pois tal é meu decreto'".

Estará Moisés sendo nobre, de uma forma rabínica? Estará à caça de cumprimentos, de um jeito humano? Estará alguém na Mesopotâmia do século II nos dizendo algo acerca do quase-contemporâneo Rabi Akiva? Mas o próprio Akiva permanece passivo ao longo do conto, que terminará muito mal para ele. Aí reside uma severa lição para Moisés sobre os limites da eminência humana, bem como da compreensão humana.

> Então disse Moisés: "Senhor do Universo, Vós me mostrastes a Torá dele, mostrai-me sua recompensa". "Vira-te", disse Ele; e mais uma vez Moisés virou-se e os viu pesando sua [de Akiva] carne nas barracas do mercado. "Senhor do Universo", gritou Moisés, "tal Torá e tal recompensa!" Ele retrucou: "Cala-te, pois tal é meu decreto".

Esta é uma história maravilhosa por diversos motivos. Moisés é tão humano que poderíamos tocá-lo. Deus joga elegantemente com suas duas mãos: primeiro, a familiaridade paternal, respondendo pacientemente às perguntas de Moisés e mostrando-lhe coisas além de seu alcance. Segundo, a inescrutabilidade senhorial, desconsiderando a terrível sorte de Akiva junto com um humilhante e imperativo — "cala a boca e obedece" — para Moisés. Tais são as fronteiras da revelação divina e da compreensão humana.

Deus deve ter estado com o mesmo humor quando deu sua resposta a Jó.

> Onde estavas tu quando deitei as fundações da terra? Declara, se é que tens a compreensão.
> Quem determinou as medidas dela, se é que sabes? Ou quem estendeu o prumo sobre ela? [...]
> Entraste por acaso nas fontes do mar? Ou andaste nos recessos do profundo?
> Foram os portões da morte revelados a ti? Ou viste os portões da sombra da morte?
> Sobreviveste tu aos sopros da terra? Declara, se é que tudo sabes.

O que achamos mais surpreendente na história de Moisés-para-Akiva é a transcendência do tempo. A visão do futuro em si é banal: quase todas as culturas produzem visionários, e os profetas hebreus estão entre eles. Além disso, não se trata de viagem no tempo como nos contos de ficção científica ou do tipo fantasia, porque toda a questão é que *Moisés não viajou realmente no tempo*.

Em vez disso, é um drama de intelectos que se chocam. Um verdadeiro tópico judaico. Mostre-me dois sábios e eu lhe mostrarei uma boa compctição. Em tcmpos modcrnos Agnon levou esse tipo de enredo ao auge na sua novela *Dois eruditos que viviam na nossa cidade*. Profundo conhecedor da antiga linhagem de disputas rabínicas, Agnon insinuava outro adágio talmúdico: "Dois eruditos que vivem na mesma cidade e não se harmonizam mutuamente em matéria de *halachá*, um morre e o outro deixa a cidade". Tudo isto se refere, é claro, apenas à "controvérsia em nome dos céus", não a alguma velha briga.

Na nossa história, o atemporal Autor da Torá — para quem a própria autoria do universo parece quase secundária — joga dois de seus grandes discípulos um contra o outro. A trama se apoia na integridade eterna da Torá. Akiva não teria sido capaz de estabelecer sua autoridade rabínica entre seus contemporâneos se não fosse sabido que toda a sabedoria exegética, toda a compreensão erudita e derivados legais já estavam firmemente embalados nas próprias Duas Tábuas da Aliança.

Mas se Akiva está apoiado nos ombros de Moisés, e Moisés recebe a Torá de Deus, não é este um processo linear normal? Bem, não. Lembre-se dos elaborados ornamentos de Deus no Tabernáculo, como preparativo para que Akiva lesse o mesmo, muitos séculos depois. A atitude de Deus para com Akiva não é apenas íntima, mas também estranhamente reverente. As letras da Torá são coroadas para o prazer de Akiva. A simples Entrega da Torá é atrasada por causa de Akiva. O atraso é significativo, então este tempo momentâneo tem sim importância, mesmo que o grande lapso de tempo de Moisés a Akiva seja apagado. Tudo isto não é nossa linha de tempo habitual. É uma esfera metacronológica em que deidade, homens e textos coabitam e interagem.

Podemos tornar histórica a sequência, é claro, e dar as datas estimadas de todo mundo à moda dos bons livros escolares. O narrador é Rav Yehuda ben Ezekiel (Babilônia, 220-99 EC), citando seu mestre Rav (o talmudista Aba Aricha, Babilônia, 175-247 EC). A história se refere a três pessoas que habitam o passado distante desses talmudistas. Moisés deve ter vivido (assim supõem os estudiosos) por volta do século XIV AEC. Rabi Akiva nasceu por volta de 50 EC. Deus, naturalmente, não tem idade.

Mas por que datar a história, afinal? O Todo Poderoso, Moisés e Akiva, Rav Yehuda e Aba Aricha habitam a tenda atemporal da Torá. Relógios e calendários são meros adereços. Lembra-se da sugestão desbocada de Einstein de que o tempo só serve para o nosso senso de ordem, "para que tudo não aconteça ao mesmo tempo"? Aqui, de uma estranha maneira, tudo acontece sim ao mesmo tempo. Épocas são jogadas de um lado a outro, eras lançadas para o alto e rearranjadas como dados. O que realmente importa é o texto. As mentes humanas o leem sem cessar e incansavelmente o interpretam, para sempre citando e discutindo entre si, ao largo de espaço e tempo.

Ainda assim, é claro, o tempo mundano importa. O fato de Akiva pertencer ao futuro distante de Moisés significa que Akiva sabe mais.

Considere a seguinte história, desta vez de origem midráshica. Mais uma vez, Moisés sobe ao Monte Sinai apenas para encontrar Deus ocupado estudando. Moisés na verdade não vê Deus, mas o ouve murmurando o texto oralmente, como os estudiosos judeus adoram fazer.

Por que Deus haveria de estar estudando? Bem, por que não? Não é ele *a yid*? É isto que um judeu faz. Estuda.

Seu estudo focaliza um tema acadêmico no futuro distante do pensamento judaico. Para ser preciso, Deus está estudando o debate mishnaico sobre a Novilha Vermelha. O problema em si é um assunto bizarro, de arrepiar os cabelos, que se tornou um emblema do estudo talmúdico em toda sua trivial preocupação com detalhes insignificantes ou grandeza analítica, dependendo do ponto de vista. Uma novilha vermelha imaculada era uma criatura rara e preciosa, e o Livro de Números descreve como ela é ritualmente morta e incinerada. Suas cinzas são requisito para rituais de purificação, especialmente os do sumo sacerdote. O debate talmúdico mergulha em minúsculos detalhes físicos que poderiam tornar a novilha inelegível para servir como purificadora. E uma vez que não gostamos de estraga-prazeres, não lhe contaremos que romance recente de Michael Chabon faz um uso moderno inteligente deste antigo relato.

Voltemos à nossa história. Conforme nos conta o Midrash Tanchuma, Deus não só estudou o debate da Novilha, mas tomou partido, exatamente como no caso do Forno de Achnai, que visitamos no capítulo 1. Nós gostamos desta deidade talmúdica, que não quer ser nem o Senhor dos Exércitos nem o Divino Relojoeiro, e sim o Grande Erudito no Céu. E eis que mais uma vez ele apoia a opinião do mesmíssimo Rabi Eliezer ben Horkanos, famoso pelo Forno de Achnai. Mas, nesta história, ninguém contesta a intervenção de Deus. "Filho", ele chama Eliezer amorosamente.

O pobre Moisés está de novo com ciúmes, ou pelo menos estarrecido. "Mestre do Universo", diz ele, "tudo no céu e na terra é vosso — e repetis uma *halachá* em nome do homem de carne e osso?"

Então Deus lembra a Moisés que na tradição judaica indivíduos de carne e osso podem ter muita importância. "Um homem justo no futuro se levantará no meu mundo, e abrirá com o caso da Novilha Vermelha." Então o mestre do universo volta ao seu estudo, continuando devida e objetivamente no ponto em que tinha sido rudemente interrompido. "Rabi Eliezer diz..."

E Moisés? Desta vez ele não pede para *ver* o sortudo sábio. Em vez disso, pede para *gerá-lo*.

"Soberano dos Mundos, que ele [Eliezer] possa ser da minha carne!"

Temos um final feliz. Deus retruca sem a menor cerimônia: "Esteja certo de que ele é da sua carne".

Pense na beleza desta história: ela associa filhos e discípulos, linhagem biológica e continuum intelectual. Moisés se comporta aqui como um personagem de *De volta para o futuro*, mas sua esperança de que Rabi Eliezer seja seu descendente longínquo refere-se principalmente a procriação intelectual. Aí está o nosso familiar alinhamento de pai e professor, a sobreposição de filho e aluno.

Mais uma vez percorremos a escala a partir dos Dez Mandamentos até a mais intrincada análise talmúdica, de forma paralela a uma árvore genealógica. Note, também, que em ambas as histórias — a de Moisés e Akiva e a de Moisés e Eliezer — Deus faz tanto o papel técnico de máquina do tempo, como o papel dramático de pai a manifestar preferência pelos filhos que competem. Ele chega a estudar as determinações haláchicas de Eliezer. Mas o verdadeiro drama ocorre entre dois homens: ancestral e prole, primeiro mestre e discípulo remoto, fonte inicial e intérprete futuro. É um drama de seres humanos buscando tornar-se, de algum modo, tão perenes quanto as ideias que discutem.

E o tempo importa sim. A cumulação de anos e eras nas histórias dos judeus é de tremenda importância. Se o tempo não importasse, não haveria necessidade de Moisés se tornar ancestral de Eliezer ben Horkanos.

A civilização judia abrange, pela sua própria conta, quase seis milênios desde a Criação, e uns três milênios e meio desde Moisés. Se quisermos permanecer em solo histórico firme e nos ater a nossa linha de texto, à sólida sequência de livros, ainda temos pelo menos dois milênios e três quartos nas nossas mãos.

Raramente as histórias foram tão controladas pelos seus próprios protagonistas. É claro que fontes externas mencionam os israelitas, mas o que realmente contava — em vista dos jogadores reais — estava embalado em cápsulas de texto passadas de uma geração para a seguinte. Mordecai Kaplan acreditava que o judaísmo da Diáspora sobreviveu porque ninguém — certamente não as civilizações anfitriãs, até tempos modernos — deu-se ao trabalho de competir com os judeus pelos corações e intelectos de seus jovens. "O judaísmo funcionou como uma civilização", escreve ele, "na medida em que tinha o monopólio dos primeiros anos da educação da criança." Há um elo forte, sugerimos nós, entre a compreensão dos judeus de sua própria história e sua tendência parental para a passagem da tocha intelectual.

Os anais dos judeus contradizem a afirmação fácil de que a história é escrita pelo vencedor. Mesmo quando perderam, e perderam terrivelmente, os israelitas, e depois os judeus, tiveram o grande cuidado de contar as histórias eles mesmos. Contaram aos filhos de forma direta e honesta todas as coisas ruins que haviam acontecido: pecado e castigo, derrota e exílio, catástrofe e fuga. Não é uma história agradável, mas é de consistente e inflexível autoria própria. Para muitas crianças, era — e é — um legado cativante, problemático e, em última análise, empolgante.

Mas não é uma história fácil de contar às crianças. Tem mais vítimas que heróis, e, nos dois últimos milênios, nenhum rei nem castelo. Os cavaleiros de armadura reluzente são os Cruzados, que nos estriparam com suas cintilantes espadas medievais. Em relatos de outros povos, dos *Contos da Cantuária* de Chaucer até as fábulas adoráveis de Jacob e Wilhelm Grimm, nós somos os vilões. E, além disso, feios. Mesmo a emblemática linda judia — a Jessica de Shakespeare ou a Rebecca de Walter Scott — provavelmente tinha um pai hediondo. Essa é a estranha genética do antissemitismo. E quando o racismo moderno entrou em cena, mesmo as judias deixaram de ser lindas.

Antes da Haskalá do final do século XVIII e século XIX, não se ensinava às crianças judias história no sentido grego, romano ou ocidental moderno. Havia exceções à regra, especialmente entre os sefaraditas cultos e alguns judeus italianos, mas o grosso dos jovens estudava a Torá. Aprendiam a Lembrar, Aprender e Discutir. Devia haver algum encantamento, numa idade muito tenra, capaz de manter tantos deles num pequeno *heder* escuro, depois na decrépita sinagoga, e o resto de suas vidas na constrita, isolada, muitas vezes miserável, existência judaica.

Em seu livro *Israelis in Berlin* [Israelenses em Berlim], a historiadora entre nós perguntou o que mantinha os jovens atrelados. No desolado inverno europeu, com árvores de Natal piscando na praça da aldeia, com luz e risos na taverna *goy*, com moças de cabelos claros se divertindo e dragonas reluzindo nos largos ombros dos oficiais, como podiam os meninos e meninas judeus manter distância? Como era contida a rebeldia adolescente, internalizada a disciplina voltada para o dever, e como se abraçava o alheamento por dezenas de gerações sucessivas? Sejamos corretos, muitos deixaram o rebanho. Incontáveis pessoas renunciaram à fé judaica, abandonando assim a pertinência ao povo judeu, de maneira forçada ou voluntária, e sumiram das crônicas; mas um número suficiente de judeus optou por manter a tocha acesa.

O que era ensinado a essas crianças não era uma história comum. Não era "história judaica" como a entendemos hoje. Era um conhecimento diferente, que transmitia o senso da presença divina acoplado com uma poderosa atuação humana. Era sobre o poder de permanência das palavras. Em toda sala de aula digna do nome, por mais sombria e lúgubre que fosse, Moisés, Akiva e Eliezer ben Horkanos estavam presentes. "Vire-se", um garoto talentoso podia ouvir um sussurro em seu ouvido, "e poderá sentar-se num banco mishnaico na oitava fila e escutar. E quando for um pouco mais velho, também será capaz de discutir."

E assim, os heróis bíblicos e os eruditos talmúdicos de algum modo insistem em ser Nossos Contemporâneos. São companheiros de viagem dos cultos, mas também chegam aos não cultos, tais como Haim o carregador e sua pia esposa Ana. Foram os colegas de banco palpáveis de todos aqueles meninos pequenos, e suas poucas irmãs afortunadas, em Bagdá, Barcelona e Bialystok.

Dentro desta lógica de atemporalidade não é difícil imaginar Moisés sentado no fundo da sala de aula de Rabi Akiva. Ou mesmo o próprio Deus, ajustando seus óculos de leitura, debruçado sobre as determinações de Eliezer ben Horkanos sobre a Questão da Novilha Vermelha.

Não se engane: estes não são contos de fantasmas. Não havia sessão espírita envolvida, nem despertar dos mortos. Essa é a companhia sempre viva dos estudiosos conversando. A sabedoria é imortal.

E ainda assim, sempre e em todo lugar, o jovem estudante judeu é incentivado a dizer algo de novo. Não importa que a Torá seja inteira e eterna. Não importa que as cabeças mais formidáveis da história judaica estejam observando você do banco simbólico no fundo da classe. Espera-se que todo garoto no seu Bar mitsvá, todo noivo em seu dossel matrimonial, diga uma *chidush*. Uma novidade. Não uma mera repetição da sabedoria antiga. Não uma mera formulação de perguntas e obediência a respostas aprendidas. Mas de fato apresentar uma ideia nova, uma interpretação fresca, um elo inesperado. Cercado de gigantescas estantes de livros, você ainda é convidado a fazer uma declaração original.

Caso você esteja curioso — sim, nós acreditamos que a atual aptidão israelense para a alta tecnologia de algum modo provém dessas fontes intelectuais. Estamos falando de hábitos, não de cromossomos. Quem liga se algum dos nossos jovens inventores descende biologicamente da carne de Moisés? O amor pelo *chidush* é o único genoma que importa. Apesar disso, pensando bem, no que diz respeito à tecnologia moderna, um hiperlink com alguns dos Dez Mandamentos não funcionaria muito bem.

Os judeus modernos desenvolveram outras relações com figuras do seu passado coletivo. A partir do fim do século XIX até meados do século XX, quando escritores e professores começaram a usar o hebraico redesperto, protagonistas bíblicos foram figuras literárias por escolha. Assim como os próprios pioneiros sionistas, esses heróis e heroínas israelitas povoam a terra, praticam agricultura e guerra, e não são exageradamente intelectuais. Esperava-se que a nova criança da terra ancestral fosse muscular em vez de cerebral. Mas havia mais nesse desvio bíblico do que um reacender simplista das fogueiras de acampamento do pertencer nacional judaico. Personagens na moderna ficção histórica judaica também podem ser angustiados e atormentados, altamente individualizados, e às vezes tentam fugir aos seus destinos judaicos. Desde o romance bíblico de Abraham Mapu no século XIX, *The Love of Zion* [O amor de Sião], estrelando Amnon e Tamar, passando pelo belo romance histórico de A. B. Yehoshua, *Viagem ao fim do milênio*, resplandecente de rabis medievais e judias inteligentes, até Zeruya Shalev citando mulheres da Bíblia e do Talmude dentro e fora do amor, uma grande cadeia de inspiração evoluiu.

Mais recentemente, a poesia judaica antiga e medieval tem sido musicada por jovens compositores israelenses. As letras sensuais e suculentas da Idade de Ouro sefaradita são as preferidas, como também alguns salmos e preces ressonantes. Se você navegar pelos sites da indústria musical israelense, descobrirá que Shlomo ibn Gabirol e Yehuda Halevi da Espanha do século XI, Immanuel o Romano e Daniel Dayan da Itália do século XIII, e Shlomo Alkabetz e Israel Najara de Safed do século XVI não são meros nomes de ruas em Tel Aviv. Estes poetas há muito mortos têm seguidores de jeans e *dreadlocks*, que os apresentam em concertos e casas noturnas. E, depois de tantos séculos de transmissão impressa e cantos de sinagoga, eles agora têm discografias e videoclipes.

Em algum lugar, talvez escondido no canto de um café da moda na rua de Tel Aviv que tem o seu nome, o lexicógrafo Eliezer ben Yehuda deve estar sorrindo. Ele foi o mais ardente responsável por reviver a linguagem bíblica para a era moderna. Criou seus filhos, sozinho no mundo, apenas em hebraico. E teria adorado ouvir os versos hebraicos bíblicos e medievais, com todas as suas palavras sagazes e coloridas, tão perto dos corações dos jovens israelenses do século XXI. E assim vai, de Córdoba para o YouTube, cortesia de um filólogo maluco judeu-russo. Uma linha de texto.

Ao celebrar o renascimento cultural de Israel corre-se o risco de ignorar diversas grandes mágoas. Não desejamos nem precisamos ignorar essas mágoas. A perda sofrida pelos palestinos está gradualmente encontrando suas palavras, suas linhagens de memória. Ainda se desenvolverá uma narrativa de Palestinos e Palavras, não aqui, não por nós. Mas não somos estranhos à dor. Sem forçar comparações fáceis, ainda podemos manifestar familiaridade. O lancinante sentimento de um mundo desfeito — não apenas perdido; desfeito — permeia igualmente as calamidades palestina e judaica.

Os primeiros escritores e artistas judeus que abraçaram a modernidade em sua falsa e retorcida plenitude não eram o tipo de gente que aprecia confortavelmente sua colorida herança folclórica. Eram homens e mulheres dilacerados. Sua relação com a antiga linhagem nunca foi simples, nunca aconchegante, nunca autocongratulatória. Sim, Heinrich Heine podia brincar com contos judaicos e "melodias hebraicas", mas era profundamente perturbado pelo Shylock de Shakespeare, e ainda mais pela traiçoeira filha de Shylock, Jessica. Heine recusava-se amorosamente a atribuir ódio aos judeus ao próprio bardo inglês, mas foi visivelmente ferido pelo antissemitismo germânico de classe média em seu próprio ambiente.

Foi a modernidade ambivalente de Heine que o levou a explorar, numa veia de romantismo, os contos antigos de sua nação. Ele empenhava-se em ser alemão sendo judeu, e cada vez mais alemão que judeu. "Impressionante, de fato, é a profunda afinidade que predomina entre essas duas nações éticas, judeus e alemães antigos", escreveu. Não só ambas têm mentalidade bíblica; não só cada uma delas foi um adversário formidável para os romanos; sua afinidade vai ainda mais fundo. "Fundamentalmente, os dois povos são parecidos — tão parecidos, que se poderia encarar a Palestina do passado como uma Alemanha oriental — da mesma maneira que se poderia encarar a Alemanha de hoje como o lar do Mundo Sagrado." Esta tentativa parece pateticamente condenada em retrospecto, e talvez desse uma sensação trágica ao próprio Heine.

Judeus, Palavras, Alemães: essas linhas de Heine não são só apenas um presságio precoce da tragédia dos judeus alemães. São também a matriz de todos os judeus modernos que ainda eram bem formados em linhas de texto tradicionais, mas já almejavam participar de suas nações modernas, na modernidade europeia, e na humanidade global. Heine corporifica a catástrofe, pois seus livros foram queimados pelos alemães nazistas em Bebelplatz, e sua *Lorelei*, a ninfa germânica imortalizada em seu poema de 1824, cuspiu na sua própria face em 1833.

Houve um breve e portentoso momento, tanto nos anais judaicos como na história do mundo, em que os judeus de formação tradicional se depararam com a oferta, ou tentação, da existência moderna. Por uma ou duas gerações, viveram em ambos os mundos ao mesmo tempo. Este nao é um caso de participação dupla, e sim de insubstituível amputação: deixar a velha sinagoga para as cintilantes novidades do mundo. Trocar sabedorias empoeiradas por doce pecado e amargas incertezas. Embarcar em navios para novos mundos carregados de culpa e saudade. O ídiche prendeu-se a seus pescoços como uma mãe inconsolável. Uma velha figura barbada era recorrente em seus sonhos, curvada na sala de aula vazia. É esse o lugar de Heine, e de Sigmund Freud, e de Franz Kafka, e de Walter Benjamin, e de Else Lasker-Schüler. E também de Saul Bellow e Bernard Malamud. Cada um deles esteve gravemente, irremediavelmente, perturbado com o Tempo. Todos vivenciaram, das mais diversas maneiras, o colapso abrupto do tempo antigo e a sinistra desorientação do tempo moderno.

Tipicamente, este momento dilacerante dura apenas uma geração. Os judeus da Europa fizeram a transição do *shtetl* para a cidade, da *yeshiva* para a universidade, do Gênesis para Goethe em um tempo de vida. Os judeus do mundo islâmico eram tradicionalmente mais abertos às sociedades em volta, mas também eles foram seduzidos ou forçados à migração, abandonando um antigo legado de riqueza material e espiritual. No século XX, de fato, o mundo inteiro parece se mover. Mas a fissura da apostasia, a ruptura da realocação e a tensão do individualismo da era industrial têm um tom dolorosamente agudo nos judeus modernos. Entre os autores e pensadores sionistas, nem um único homem ou mulher foi calmo, harmonioso ou pacífico. Foram todos inquietos, sempre buscando, alguns messiânicos, alguns aprisionados em ferozes discussões com o Deus que tinham deixado para trás, muitos presos na armadilha de um fardo não mais suportável de amor, ódio e culpa em relação a suas famílias assassinadas, a suas perdidas paisagens de infância. Veja, diferentemente dos irlandeses, italianos e outros emigrantes do Velho Mundo, logo depois que deixamos o velho lugar ele cessou de existir, literalmente varrido do mapa. Não havia o verde gramado do lar para onde retornar, nem mesmo para ter saudades. Os emigrantes judeus que pensaram estar queimando as pontes para o *shtetl* olhavam para trás horrorizados para ver que o próprio *shtetl* estava ardendo, com Pai e Mãe dentro dele. Sua sina foi pior que a da mulher de Ló, mas eles não se transformaram em pedra. Forçados a encarar o futuro, seguiram adiante.

Poderia o moderno Retorno a Sião, perguntavam-se de modo fervoroso alguns judeus supostamente seculares, significar que o Messias tivesse chegado? Não como pessoa mas como um fechamento da história judaica, um encerramento de ciclo de um exílio de final aberto, um aplainamento de tudo que era irregular e torto? Alguns judeus israelenses entenderam a Guerra dos Seis Dias de 1967 em termos messiânicos. Não disse Maimônides que as leis da natureza não mudarão com a chegada do Ungido, que viveremos como antes, com nossas obrigações religiosas e legais? Maimônides citou a memorável frase talmúdica, "a única diferença entre este mundo e os tempos messiânicos está na escravização [de Israel] por reinos [estrangeiros]". Liberdade política para os judeus podia portanto encaixar-se no padrão do "fim dos dias". E houve israelenses — modernos, israelenses de mentalidade política — que realmente pensaram que os passos do Messias podiam ser ouvidos no alto das colinas da Judeia e Samária.

Pois se o Fim do Tempo é histórico, e é definido pela liberdade nacional de Israel, por que não interpretar o sionismo como as passadas audíveis do Messias, aproximando-se, em breve chegando?

Esta era, e é, uma opinião minoritária. Uma lufada de religiosidade seguramente pairava sobre os primeiros fundadores sionistas, mas era uma religiosidade dolorida, infestada de pecado, não uma lasca do velho bloco rabínico-patriarcal. Os pioneiros de Israel, novos escritores e teóricos hebraicos, eram em sua maioria seculares demais para reinventar uma escatologia sagrada.

Modernos demais para implantar um misticismo de fim-dos-tempos na recém-nascida soberania de Israel. E ambivalentes e atormentados demais para experimentar o júbilo da independência sem a agonia da perda irrecuperável. O Holocausto não podia funcionar como um Armagedon judaico, o sinal do desastre antes da salvação; ele foi horrível demais para este papel. Quanto à nova filosofia política, nada a não ser democracia podia funcionar para o recém-nascido Estado-nação. David Ben-Gurion, um democrata autodidata, era realista e decidido demais para cobiçar um manto messiânico. E os recém-politizados judeus, diversificados e vociferadores demais, não lhe permitiriam tornar-se sequer um insignificante tirano, estilo europeu oriental, mesmo que ele tivesse desejado, e ele não desejava.

Ao se moverem dentro da história e tentarem mudar a história e o sangue derramado na história, o seu próprio e o de outras pessoas, os sionistas podem ser vistos como aqueles que marcham juntamente com todos os outros judeus de sua geração específica, apanhados entre as antigas velas de Shabat e as novas ideologias flamejantes. A reconstrução da nacionalidade que fala hebraico na Terra de Israel foi um projeto profundamente modernista, não porque a nação fosse "inventada", mas porque a dor da amputação e o caos de identidades em choque são essencialmente modernos. Assim como o é o dilacerante senso de não totalidade, uma não totalidade inquieta e criativa, que tolda e incita os israelenses até hoje.

Um bocado de tristeza é inerente à dança do sionismo moderno com o passado judaico. Reentrar na história, como o chamaram alguns de seus pioneiros, também levou os judeus para um lado combatente que lhes era pouco familiar nos campos de matança da história. Obviamente, eles jamais estiveram fora da história do outro lado, o da vítima impotente. O sionismo quis pôr um fim ao papel de vítima do judeu por meio da "normalização" da nossa existência, nos conduzindo para o seio da família das nações. Sob alguns aspectos, isso aconteceu. De maneira triunfal. Mas até aqui, contrariando as melhores esperanças dos fundadores, a maioria dos judeus israelenses ainda tem intimidade tanto com o combate quanto com a vitimização.

Sansão, uma figura de enorme força física, é particularmente atraente para os israelenses. Ao longo do século XX, através do espectro da ideologia política, ele fascinou tanto o líder revisionista Ze'ev Jabotinsky como o proeminente autor e ativista da paz David Grossman. Na metade do século, em meio à sangrenta Guerra da Independência de 1948, um oficial do exército chamado Abba Kovner foi convocado para dar nome à nova companhia de jipes da Brigada Givati. Ele escolheu Raposas de Sansão, relembrando os trezentos animais selvagens que o mais turbulento dos heróis bíblicos soltou contra os filisteus com as caudas em fogo. A unidade combateu o exército egípcio invasor no platô costeiro meridional, a própria terra das arruaças de Sansão. Poderia algum de seus jovens e cultos recrutas fugir das recordações textuais do Faraó ou dos filisteus? Tanto seu nome como seu heroísmo no campo de batalha se tornaram matéria de lendas. Um homônimo poema de louvor foi escrito por Uri Avenry, mais tarde um declarado defensor da paz árabe-israelense.

Kovner havia anteriormente comandado a resistência judia no Gueto de Vilna, fugindo para juntar-se aos partisans judeus nas florestas. Sua mãe foi assassinada em Ponar, seu irmão morto com os partisans. "Não iremos como carneiros para o matadouro", ele proclamou para os condenados movimentos jovens judaicos de Vilna, em 1941. Em três anos, todos os seus jovens ouvintes idealistas, com exceção de um punhado, estavam mortos.

Pela primeira vez em milênios, no pior momento em sua história de sobrevivência, os judeus foram capazes de escolher não serem carneiros. Em Varsóvia e Vilna, a alternativa era a morte pela resistência. Nos campos da Judeia em 1948, significava tornar-se Raposas de Sansão.

Existe ainda outro senso judaico de atemporalidade, a atemporalidade do momento congelado.

Aqui, o fluxo do tempo não é alegremente deixado de lado para permitir que gerações remotas se encontrem, se inspirem e discutam. Em vez disso, um segmento particular da história, não necessariamente grandioso ou memorável, permanece estático. As pessoas são aprisionadas dentro dele como numa dobra temporal.

Na Polônia do século XVI, o congelamento desceu sobre a ortodoxia asquenazita: roupas, peles, meias, chapéus, xales, lenços de cabeça e barbas, tudo ficou parado no lugar. Podemos vê-los hoje nas ruas de Jerusalém, quentes e pretos sob um sol escaldante. Sob um aspecto importante, esses judeus ultratradicionais vivem num reino atemporal.

Jerusalém em si, desde tempos imemoriais, também existe fora do tempo nas mentes dos fiéis. *Ir Olam*, eles a chamam, a cidade eterna. Quer estivesse em ruínas, destruída por conquistadores, quer fosse reclamada por Israel de hoje, alguns de seus amantes apenas a conseguiam ver como a Cidade de Davi, jovem e incólume, um perpétuo Templo assomando em seu meio. Não o Primeiro Templo, apenas o Templo, pois é uma cidade sem futuro gozando seu eterno sol do meio-dia. Para tais amantes de Jerusalém, agrupados no Muro das Lamentações, o amor nada mais pode ser que um constante lamento.

Num sentido mais amplo, a Diáspora em si foi um momento congelado. Muitos dos primeiros sionistas, inclusive o próprio Theodor Herzl, advogavam um "retorno judeu à história", encarando a experiência do exílio como uma retirada consciente dos anais da humanidade. Mas esta observação não era sionista de origem. Na Veneza do século XVII, Rabi Simha (Simone) Luzzatto adotou uma visão similar e impiedosa em seu *Discurso sobre os judeus de Veneza*, dirigido para leitores gentios ao lado de judeus.

> Os judeus [...] não desejam em qualquer tempo encontrar novas formas de melhorar a situação geral de seu povo. Porque acreditam que qualquer mudança significativa que venha a eles [...] depende de uma causa suprema e não de esforços humanos. A ordem de expulsão de Castela e de seus reinos vizinhos [...] aplicou-se a aproximadamente meio milhão de pessoas [...] inclusive homens de extraordinária capacidade e conselheiros de Estado [...] Mas em todo este grande número nem um único homem ousou oferecer uma sugestão firme e vigorosa para salvá-los daquela amarga expulsão.

Luzzatto alega que os judeus são dóceis e obedientes aos governantes e reis precisamente porque aceitam seu destino histórico passivamente. Note o jogo de mensagens destinadas aos dois públicos de Luzzatto: crítica aos judeus e, na mesma moeda, reafirmação aos senhores gentios.

Reentrar no tempo exige ação. A soturna observação de Luzzatto é espelhada no grito uníssono do movimento nacional judaico. Todavia, no final do século XIX outras forças paralelas ao sionismo fizeram indivíduos e grupos judeus entrar no modo moderno de esforço humano de mudança de vida. A atemporalidade do exílio implodiu. A história judaica estava descongelando. Homens, mulheres, famílias e grupos estavam em movimento: para a América, para a Palestina, para a cultura e instrução modernas, para a autoprocura pessoal secular e para uma pletora de ideologias.

Para um grande número deles, foi tarde demais. "Tarde demais" é um termo alheio ao pensamento diaspórico. A mão de

Deus nunca tarda. Aguardar a redenção por "causa suprema" não reconhece atraso. Mas para o menino de *yeshiva* que começava a desviar o olhar do Talmude para Spinoza quando tanques alemães entraram rugindo na cidade, "tarde demais" tornou-se o primeiro sinal da sua mudança da atemporalidade do exílio para entrar no tempo histórico. O primeiro e último.

A atemporalidade final judaica é o vazio. Não há rio correndo do passado para o futuro, nem junção de gerações numa perene sala de estudo, nem momento congelado, nem templo, nem chapéus pretos.

Quando chamado para testemunhar no julgamento de Eichmann em 1961, Yechiel De Nur (Feiner) renunciou ao seu nome e falou para o mundo como Ka-Tzetnik 135633. Este era o apelido em ídiche de um interno num campo de concentração (alemão: *Konzentrationslager*) e seu número pessoal de prisioneiro. E assim ele também assinou seus livros. "E o tempo ali, no Planeta Auschwitz, não era como o tempo aqui. Cada momento ali girava em torno das engrenagens de uma esfera temporal diferente. Anos-inferno duram mais que anos-luz."

No "planeta de cinzas", os habitantes não tinham nomes, nem cônjuges, nem pais, nem filhos. Não há lembrança, nem *kedem*, nem estudo, nem discussão, nem mesa. A identidade se foi. A judaicidade se foi. Ka-Tzetnik, também, foi desmembrado de seu nome, e o manteve desmembrado. Seu Auschwitz é o inverso do Éden: Adão deu nome a todas as criaturas. Os nazistas tiraram os nomes e as des-criaram.

Nessa atemporalidade, ao contrário das outras atemporalidades, todos os fios da continuidade judaica e da existência humana arrebentam. Exceto as palavras. Até que nem as palavras existam mais.

Escrito a lápis num vagão lacrado
Dan Pagis

Aqui, neste transporte
Eu, Eva, com meu filho Abel
Se você vir meu outro filho,
Caim filho de Adão
Diga-lhe que eu

4. Cada pessoa tem um nome; ou os judeus precisam do judaísmo?

Descobre-se que há três nomes pelos quais a pessoa é chamada,
um pelo qual seu pai e sua mãe a chamam,
e um pelo qual as pessoas a chamam,
e um que ela conquista para si mesma.
O melhor de todos é o que ela conquista para si mesma.

Nós, judeus, somos notoriamente incapazes de concordar sobre qualquer coisa que comece com as palavras "nós, judeus". Por exemplo, quem foi que disse a frase "Nós, judeus, somos iguaizinhos a todo mundo, só que um pouco mais"? Não conseguimos concordar nem em relação a isso. Se você entrar no Google, os primeiros dez links vão atribuí-la a Heinrich Heine, Sigmund Freud e Abba Eban. Mas praticamente todo indivíduo judeu de opinião tem algo a dizer que comece pela primeira pessoa do plural. E nós também.

Este capítulo trata de coletividade e individualidade, um permanente tema humano, "só que um pouco mais". Ele mergulha o termo abstrato *judaísmo* no substantivo plural *judeus* e num certo número de judeus individualizados, alguns deles realmente bem individuais. Damos vazão a sentimentos intensos, tanto negativos como positivos. Não por coincidência, este capítulo abre e fecha com poetas israelenses do século XX.

Yehuda Amichai, já citado no capítulo 1, conhecia os meandros das primeiras pessoas singular e plural. Eis outra preciosidade de seu poema "Os judeus":

> *Os judeus são como fotografias expostas numa vitrine*
> *Todos eles juntos em diferentes alturas, vivos e mortos,*
> *Noivos e noivas e meninos Bar mitsvá com bebês*
> *E há retratos restaurados de velhas fotografias amareladas*
> *E às vezes vem gente quebrar a vitrine*
> *E queimar os retratos. E aí eles começam*
> *A fotografar de novo e revelar de novo*
> *E expô-las novamente sofrendo e sorrindo*

Amichai tem todos eles congelados em sua moldura: o coletivo de indivíduos que os judeus sempre foram, em suas gerações de vulnerabilidade, "todos eles juntos em diferentes alturas", forçados a ficar juntos por laços de família e instantâneos festivos, amontoados uns contra os outros sob os golpes brutais dos quebradores de vitrines e queimadores de fotos. O poema agora passa para uma imagem nova:

> *Os judeus são uma reserva florestal primeva*
> *Na qual as árvores ficam apertadas entre si, e mesmo as mortas*
> *Não conseguem se deitar. Elas repousam, eretas, em meio às vivas.*

Estilhaçados e carbonizados, nossas calamidades sempre nos forçaram de volta para o Começo, a sempre mais uma vez "revelar de novo". De Tito à Kristallnacht, que chance tinha um indivíduo voluntarioso de escapar ao coletivo de memória e destino?

Nascido Ludwig Pfeuffer no sul da Alemanha, criado numa família ortodoxa que fugiu dos nazistas para Jerusalém, ele serviu no exército britânico e então combateu na Guerra da Independência de Israel. Mudou seu nome, perdeu sua religião, escreveu poesia universal e falou eloquentemente pela paz. Mas nunca se retirou do coletivo. O novo sobrenome judeu que adotou, Amichai, significa "meu povo está vivo". A significação pós-Holocausto deste antigo nome israelita provoca um arrepio na espinha. Justaponha-o à postura pós-modernista ou antissionista que identifica Amichai e sua geração, "Teu povo, o idioma revivido e a terra ancestral são mera fabricação", e o arrepio se transforma num berro. Amichai, porém, não berrou. Sua identidade judaico-israelense foi transmitida em verso, um verso gentil, adoravelmente irônico. Mesmo nos seus poemas de amor intimistas, o destino judaico sempre flutua ao pé da cama dos amantes: "Às vezes nós somos dois, às vezes mais que uma miríade", escreveu ele em outra parte. O "nós" dual inescapavelmente pousa sobre o "nós" plural.

E quanto a Deus?

Rico em estudo judaico e em múltiplas camadas de hebraico, sabiamente reconciliado com sua própria secularidade, Amichai foi capaz de escrever estes ressonantes versos em "Os judeus":

E quanto a Deus? Deus permanece
Como o perfume de uma linda mulher que um dia passou
Por eles e eles não viram sua face,
Mas seu perfume paira, todo tipo de perfumes,
Criador de todo tipo de perfumes.

O último verso vem da bênção judaica sobre as fragrâncias, do Talmude babilônico, "Bendito seja o Criador de todo tipo de perfumes". Amichai conhecia sua *Halachá*, então deve ter sabido que esta bênção se diz ao encontrar vários odores agradáveis, mas claramente não o aroma de uma mulher. Só um apóstata instruído, que é também um tortuoso artesão de palavras, poderia ter deixado para trás a deidade judaica dessa maneira singular. Deus como aroma permanente de uma beldade não vista, esta entre todas as metáforas heréticas! Quão mais intrincada, mais sutil, mais amorosa e dilacerada do que a declaração breve e impiedosa de Friedrich Nietzsche: "Deus está morto".

E, todavia, a judaicidade israelense secular de Amichai provém de uma linhagem inspirada por Nietzsche.

Alguns dos maiores escritores hebraicos do começo do século XX rebelaram-se contra a identidade judaica coletiva marcada pela religião. Foi um motim contra aquele substantivo abstrato abrangente *yahadut* (judaísmo). Ao se rebelarem dessa maneira, sentiam-se judeus até os ossos. Não queriam converter-se a outra fé, nem pertencer a outra nação. Não, de uma aflita forma modernista, empenharam-se para cortar os laços de sua existência como judeus modernos individuais com a ortodoxia tradicional.

"Não há judaísmo fora de nós mesmos e das nossas próprias vidas", escreveu Yosef Haim Brenner, expulso da *yeshiva*, desertor do exército russo, pretenso trabalhador socialista mas fraco de corpo, sionista de pouca convicção, alma atormentada, um de nossos melhores escritores. Foi assassinado por desordeiros árabes em Jafa, em 1921. O veredito de Brenner era ao mesmo tempo direto e sutil: *Ein yahadut*, não há judaísmo, fora de nós judeus, *yehudim*. "Não há crenças que encaremos como obrigatórias [...] Nós somos judeus nas nossas próprias vidas, nos nossos corações e sentimentos. Não precisamos de definições racionais, nem de verdades absolutas nem de obrigações escritas".

O colega de Brenner, Micah Yosef Berdyczewski, nascido numa família hassídica rabínica na Ucrânia, preferiu rebaixar o judaísmo em vez de negá-lo. "Os judeus têm prioridade sobre o judaísmo", escreveu. "A pessoa viva tem precedência sobre o patrimônio de seus ancestrais." Em hebraico, seu chamado ressoa com terminologia bíblica: *Mishpat ha-bechora la-yehudim al ha--yahadut*. A primogenitura, o direito do que nasce primeiro, é dada aos judeus antes do judaísmo, às pessoas antes da fé. Mas este grito de individuação também é profundamente coletivo: ele embala o poderoso Hebraico Antigo no desbravador Hebraico Moderno, a língua redespertada na nova nacionalidade judaica, povoada de indivíduos poderosos e obstinados.

Isto pode soar muito moderno, uma "invenção" nova da consciência nacional, matéria-prima para a usina de recentes dissecções do sionismo como nacionalismo forjado. Não é assim. Na verdade, Berdyczewski, modernista como era, conduziu conscienciosamente uma discussão apaixonada que atravessou gerações judias. É claro que foi influenciado pelo nacionalismo europeu moderno; mas o bom Micah Yosef também teve fontes mais antigas de inspiração. Da mesma forma que autores como Brenner, Bialik e Agnon, e os teóricos Ahad Ha'am e Ze'ev Jabotinsky, Berdyczewski podia bancar um milênio de debates sobre a natureza da nacionalidade judaica.

Dez séculos antes do sionismo, o sábio Saadia Gaon escreveu que "a nação [judia] somente é uma nação por virtude de suas Torás", ou seja, a Lei oral e escrita. O mesmo vale para a invenção moderna, ou tortuosa falsificação, da nacionalidade judaica. Pelo menos até o século X EC, encontramos apenas um *conceito* de nação judaica, mas de fato há indícios de um *debate* sobre sua própria natureza. No século XX Berdyczewski e seus companheiros juntaram-se ao debate com grande ímpeto. O movimento sionista — portando a indefectível marca da

"Primavera das Nações" europeia — elevou sua importância a alturas sem precedentes.

Berdyczewski não concordava que a nação existe apenas pelo mérito da Torá. Como mostra Menachem Brinker, ele deliberadamente visou Saadia numa brilhante contraopinião sobre a nacionalidade judaica. "Nós éramos um povo e pensávamos isto e aquilo, mas não éramos um povo *porque* pensávamos isto e aquilo", escreveu. A ênfase na citação é nossa, e nenhuma ênfase é forte o bastante no que diz respeito a este ponto. O povo ou nação (*am* ou *umah*, usados de forma intercambiável no hebraico antigo bem como no moderno) judia, na opinião de Berdyczewski, existe paralelamente à sua religião, mas também além da sua religião. Povo e fé coabitaram por um longo período histórico, mas não são mutuamente desmontáveis.

E onde nos colocamos nós nesse debate Berdyczewski-Saadia, que saltou do século x para o xx, e permanece profundamente relevante no século xxi? Nossa própria posição envolve parafrasear a ambos. Tangenciando Saadia, a nação é uma nação apenas por virtude de seus *textos*. Refraseando Berdyczewski, não éramos um povo porque pensávamos isto e aquilo, mas éramos um povo porque *líamos* isto e aquilo. Como você pode ver, nossas diferenças em relação ao pensador medieval e ao autor sionista nos deixam todos na mesma linha de texto. Se formos afortunados, contra-argumentos interessantes em breve visarão nossa própria teoria de nacionalidade verbal.

Podem os judeus existir além, ou antes, do judaísmo? O que significa isto?

Berdyczewski, filho de rabino que se perdeu, se perdeu o suficiente para educar-se em Berlim e ter um doutorado em Berna, queria que a nação, "os judeus", tivesse precedência sobre a religião, "judaísmo". Mas ele entendia nacionalidade de uma forma bastante específica. Era um ávido leitor de Nietzsche. Como vários outros sionistas da fase inicial — o musculoso Max Nordau me vem à mente — Berdyczewski sonhava em elevar seu povo vilificado às alturas de uma magnificência vagamente nórdica. Seguindo o filósofo alemão, sustentava que pessoas judias frequentemente possuem qualidades heroicas. E também a história judaica é, antes de tudo, uma história de grandes indivíduos e não uma história de credos, conceitos ou rituais.

No entanto, Nietzsche não é a única fonte desta abordagem "as pessoas primeiro". Tanto Brenner como Berdyczewski podem ter dado ouvidos a ideias hassídicas. No fim do século XVIII e no século XIX, os rabinos e contadores de histórias hassídicos abraçaram uma visão mística e inerentemente igualitária de judeus individuais, não somente grandes sábios mas também os pobres, desprezados e insignificantes. Todos são interlocutores potenciais do divino. O solitário na floresta, o humilde artesão, o garotinho berrando sem palavras na sinagoga e abrindo as portas do céu, o "homem justo oculto", todos são exemplares hassídicos dos primórdios do moderno fascínio pelo mesmo tema: uma pessoa particular que súbita e milagrosamente domina uma verdade geral e profunda por virtude de sua existência marginal.

Parte deste fascínio pode ter sido remotamente inspirada pelo cristianismo. (O próprio Nietzsche investiu contra o cristianismo, ao passo que aderia à sua matriz de heroísmo; mas isto extrapola a nossa história presente.) A atração hassídica em relação ao miserável sem voz e à criança sem instrução é certamente não característica do milenar comprometimento judaico com o discurso culto. Este desvio moderno rumo ao pobre e ao que não tem voz foi um honesto e tocante tributo às realidades sociais do *shtetl*, aos numerosos semi-iletrados, aos trabalhadores braçais, aos judeus semifamintos da Europa Oriental rural. Mas pode-se ouvir também os sinos distantes do saber cristão: o dócil simplório, a santidade do inculto. Se mais cedo neste livro afirmamos que não existe *sancta simplicitas* para os judeus, agora devemos reconhecer algumas exceções nos velhos contos folclóricos hassídicos. Ainda assim, mesmo os *rebbes* mais voltados para o místico nunca puseram a realização de milagres acima do ensino, e nenhum hasside de respeito queria que seu filho crescesse em mágica ignorância.

O individualismo judaico tem outras raízes, mais profundas que Nietzsche, mais velhas que o cristianismo. Nós pensamos que suas fontes diferem um pouco das principais linhagens do individualismo ocidental, embora as duas tendências estejam interligadas. Neste capítulo caminharemos um pouco rumo à distinção entre "judeus" e "judaísmo". Vamos sugerir que o nosso resistente coletivo de indivíduos voluntariosos com seus textos tem algo mais do que "judaísmo".

Sempre houve um campo de tensão entre o substantivo coletivo *Israel* e o substantivo plural *judeus*. Uma tensão antiga surgiu durante o primeiro Retorno a Sião, quando os judeus voltaram da Babilônia sob a liderança de Neemias, deixando uma grande comunidade no exílio. Uma tensão comparável, envolvendo os mesmos termos, corre através do segundo Retorno a Sião e o surgimento de Israel moderno.

Procure "judeu" ou "judeus" (*yehud, yehudim*) na *Enciclopédia Hebraica* e você não encontrará. Surpreendentemente, esta grande obra de referência, editada em Jerusalém em meados do século XX por eruditos judeus ortodoxos, não considera o termo digno de um verbete. "Judeus — ver *O povo de Israel*", ela orienta secamente. Esta, diz o romancista entre nós, é uma das mais significativas e importantes decisões espirituais tomadas pelos editores, inclusive o bastante heterodoxo filósofo ortodoxo Yeshayahu Leibowitz. E também faz sentido do ponto de vista léxico. O termo *O povo de Israel* cerca e contém o termo *judeu* e o termo *judaísmo*, e não vice-versa.

Na breve entrada do verbete *yahadut*, Leibowitz escreve que esta palavra aparece muito pouco na Mishná e no Talmude, e nenhuma vez antes disso. Pode ser vislumbrada em fontes helenistas, mas é muito rara na literatura judaica, mesmo em textos rabínicos, antes dos tempos modernos.

O romancista entre nós pensa que o termo *yahadut*, juntamente com seu equivalente latino *judaísmo*, é hoje o código de identidade dos ortodoxos, sua ferramenta para corrigir os infiéis. Nós seculares somos acusados de sermos os mais afastados da *yahadut*, enquanto eles são os mais próximos. Um tremor de reproche instilador de culpa percorre as linhas de falha sísmicas de Israel, tais como aquela entre a secular Tel Aviv que fala hebraico e seu subúrbio ultraortodoxo Bnei Brak, que fala parcialmente o ídiche. Outra fissura, menos dramática porém cada vez mais tangível, separa os judeus "nacionais ortodoxos" dos judeus seculares; contudo, ambos os grupos, ao contrário da ultraortodoxia linha-dura, coabitam a principal corrente moderna e em grande parte sionista. Tais fendas atuais seguem uma longa linhagem de ambiguidades acerca dos nomes pelos quais os judeus têm chamado a si mesmos.

O contexto ortodoxo de *yahadut* hoje deveria provocar um sorriso. A ironia histórica espreita no seu interior. O mesmíssimo termo, inicialmente em sua forma alemã *Judentum*, foi abraçado pelos judeus do Iluminismo do século XIX, os *maskilim*, e era especialmente bem-vindo pelos reformistas religiosos progressistas. *Judentum* foi um substantivo conveniente quando surgiu a necessidade de encontrar um equivalente aos nomes cristianismo e islã. Ele soava científico e respeitável. Era a imagem espelhada mais altiva de *Yiddishkeit*, a "judaicidade" das massas da Europa oriental, quente, saborosa e colorida, a caminho de se tornar o objeto da nostalgia agridoce entre os sobreviventes e descendentes daquele mundo que perdemos.

O profeta Amós não foi nem *Yiddishkeit* nem *Judentum*. Se você lhe dissesse que ele era judeu, *yehudi*, ele concordaria prontamente que provinha da tribo da Judeia, da cidade de Tekoa. Mas ele não era membro de um "povo judeu". Esta terminologia teria tão pouco significado para ele quanto para o rei Davi.

O povo de Israel, em todas as gerações antes do século XIX, chamou a si mesmo simplesmente assim, "o povo de Israel", *bnei yisrael* ou *am yisrael*. E chamava seus compromissos morais de *Torah* e *mitzvot* (preceitos), não *yahadut*. Mas, atualmente, em Israel, o há pouco inventado *yahadut* é usado pelos ortodoxos e ultraortodoxos para repreender os seculares, que não estão à altura de seus ideais de religiosidade e observância.

Entre os judeus ortodoxos hoje, em Israel e em outros lugares, *judaísmo* é muitas vezes considerado uma sujeição à *Yiddishkeit*, o que sugere que não se pode divorciar religião de nacionalidade, ou ambas as coisas de tradições e costumes, ou estes dos trajes, ou os trajes dos hábitos, ou os hábitos da obediência cega aos rabinos. Espera-se que os judeus sejam originais e não percorram os caminhos dos gentios. Ouvimos que depositar coroas de flores em túmulos ou cantar o hino nacional ou disparar tiros em funerais ou hastear a bandeira são costumes gentios. Entrementes, os ortodoxos percorrem o mundo nas roupas da nobreza polonesa do século XVII, cantando belas canções hassídicas baseadas em melodias típicas ucranianas e dançando em êxtase danças folclóricas ucranianas. Discutem conosco, os seculares, na melhor das hipóteses, segundo a lógica de Maimônides, tirada de Aristóteles, ou — como alternativa — atacam a fraqueza da nossa lealdade nacional com base em argumentos hegelianos, cortesia do Rabino Kook. Mas, de nós, eles exigem fidelidade ao manancial original.

O romancista entre nós gostaria de ressaltar que partes do

mundo da *Yiddishkeit* estão próximas do seu coração como um componente da civilização judaica, *tarbut yisrael*. Mas de forma alguma são componentes centrais ou exclusivos. Ele nada tem contra o judaísmo que adota canais recíprocos, relações de emprestar a e tomar emprestado de outras culturas. É assim que funciona toda cultura, excluindo as que estão trancadas, como a Coreia do Norte. E mesmo as trancadas estão meramente negando a realidade do intercâmbio.

Não é nosso, nem das nossas origens, o aramaico no Talmude babilônico. Ele pertence aos arameus. Não é nossa nem das nossas origens a lógica aristotélica de Maimônides. Mesmo a mezuzá não é originalmente nossa: pelo menos externamente é uma relíquia da antiga Pérsia. *Tarbut yisrael*, sempre interagindo com outras culturas, é um grande rio de dar e um grande rio de receber.

A historiadora entre nós está menos preocupada com o uso de *yahadut* para difamar judeus seculares, e mais fascinada pela observação de que, antes da era moderna, os vocabulários hebraico e judaico não tinham uso para uma palavra que denotasse unicamente religião.

A percepção de Berdyczewski de que os judeus precediam o judaísmo é verdadeira num sentido básico linguístico-histórico. Se levarmos a nossa terminologia a sério, provavelmente observaremos que judeus, *yehudim*, existiram bem mais do que dois mil anos antes do judaísmo, *yahadut*. Mas mesmo *yehudim* é uma evolução posterior. Em tempos bíblicos, o povo e a fé foram geralmente denominados segundo um homem: Israel. Este, você se lembra, é o nome que Deus deu a Jacó após a sinistra luta noturna com um homem no leito do rio Jaboc. No fim, o homem era um anjo de Deus, e o nome de Jacó foi mudado para Israel, que significa Lutador de Deus. "Pois tu lutaste com Deus e com homens, e prevaleceste."

É delicioso, embora de forma nenhuma singular, que o nome coletivo "Israel" venha do nome de um indivíduo. Jacó foi o terceiro patriarca, pai das tribos, um homem de apetite, timidez e anseios, que lutou com Deus, com homens e com mulheres. Um vencedor.

Palavras são importantes, e assim é a sua ausência. As línguas não são pródigas em fluidez. Ao contrário, quando é profundamente significativa, uma ideia pode exigir várias palavras diferentes. Assim, a Bíblia hebraica não tem uma palavra para "religião" como entendemos hoje. Em contrapartida, tem alguns termos para o conceito central de "lei": *hok, mishpat, torá, mitsvá, mussar, din, dat*. O último deles, relativamente raro na Bíblia, veio a denotar também "religião", mas só mais tarde, em tempos talmúdicos.

Ler as palavras em seus contextos, muitas e muitas vezes, pode recompensar o leitor com um crescente senso de familiaridade. Apesar do recente ceticismo teórico, acreditamos sim que um nariz experiente e sensível pode farejar um traço do significado original mesmo de textos muito antigos. O significado original! "O que o autor tinha em mente!" Pode-se dar um sorriso, verbalizar uma metáfora ou saborear um sentido ambíguo numa frase, ter uma sensação daquilo que seus primeiros ouvintes ou leitores experimentaram. Provavelmente perdemos grande parte do sentido e da "sensação" do uso antigo, e com muita frequência corremos o risco de entender completamente errado, mas às vezes podemos captá-lo. O leitor cuidadoso pode acompanhar mudanças sutis de significado, detectar transformações do papel de uma palavra. Tal leitor captará evidência suficiente para saber que *dat* significava uma coisa na Bíblia e outra coisa no Talmude babilônico.

O vocabulário bíblico revela claramente que os antigos israelitas compreendiam seu deus basicamente como um legislador, e viam a si mesmos basicamente como uma comunidade jurisprudente. John Bunyan tinha uma expressão ótima para isso: "as doze tribos sob a lei". Só mais tarde é que veio o senso não legalista de fé, como nos termos de Bunyan: "os filhos de Deus sob o evangelho". Isto se encaixa melhor no cristianismo. Para os primeiros israelitas, Deus era o grande legislador no céu.

Para ter uma sensação dessa cultura legal israelita, por favor, conheça as cinco filhas de Salfaad, chamadas Maala, Noa, Hegla, Melca e Terza.

Essas jovens e assertivas senhoras poderiam muito bem entrar no capítulo 2. Mas desde quando mulheres fortes se conformam em ser relegadas a um único capítulo? Foram-se os dias em que os livros de história dedicavam uma seção, por pura formalidade e geralmente perto do fim do livro, à metade feminina da sociedade. As cinco mulheres que discutiremos agora nem sequer são mencionadas no capítulo 2, que já tem mulheres fortes de sobra. Precisamos das filhas de Salfaad no atual contexto, então aí vêm elas.

Maala, Noa, Hegla, Melca e Terza perderam seu pai e não tinham irmãos. Os israelitas estavam quase no final da sua jornada de quarenta anos depois do Egito, e em breve cada tribo, cada clã e cada família estariam se estabelecendo em suas parcelas prometidas de terra. É provável que a lei bíblica até esse ponto permitisse que apenas os filhos homens herdassem. Como sugere uma discussão posterior, a justificativa para a herança apenas masculina era pragmática: se uma filha se casasse fora da tribo, esta teria perdido a terra para sempre. Mas estas cinco mulheres sentiam ter direito ao futuro patrimônio do pai. Sabiam que a justiça estava ao seu lado. E veja, não rezaram para o céu nem foram *kvetch* com as amigas (*kvetch* é o termo em ídiche para "queixar-se", só que dez vezes mais lamuriento). Elas fizeram o que se faz quando se vive "sob a lei": apelaram para a judicatura. E foi uma senhora judicatura: "E elas se puseram perante Moisés, e perante Eleazar o sacerdote, e perante os príncipes e toda a congregação, às portas da tenda de assembleia".

Era este tipo de assembleia, que aparece nas histórias do Sinai e, em menor extensão, nos livros de Josué e Juízes, que sugeriu aos primeiros leitores europeus modernos que o regime inicial israelita era uma genuína república, até que o povo optou por um rei, como relata o 1º Livro de Samuel. John Milton e seus colegas republicanos na Inglaterra, e mesmo antes na Holanda, no auge do despertar parlamentar do século XVII, achavam que a República dos Hebreus jamais devia ter sido abandonada em favor da monarquia.

Admitimos saber muito pouco das instituições políticas israelitas. A Bíblia não nos conta, se é que conta alguma coisa, como funcionava realmente a divisão de poderes entre líder e sacerdote, príncipes tribais e anciãos e "toda a congregação". Mas uma coisa é evidente: era uma sociedade profunda e coletivamente comprometida com o governo da lei, talvez a primeira sociedade desse tipo na história. O jurista inglês do século XVII John Selden não perdeu suas refinadas energias eruditas quando dedicou grande parte do seu trabalho ao sistema legal mosaico, que considerou o mais perto que a humanidade já chegou da lei natural quintessencial.

Mas devemos retornar às cinco filhas. Elas apresentaram seu caso a Moisés e à assembleia, declarando que seu pai tinha morrido "em seu próprio pecado", mas não no tipo de pecado imperdoável que justificasse perda das posses da família. "Por que haveria de ser o nome de nosso pai destruído entre sua família, porque ele não teve filho? Que nos seja dada uma possessão entre os irmãos do nosso pai."

Então Moisés deu o passo jurídico óbvio: ele "levou a causa delas perante o Senhor".

Note que Moisés não rezou nem pleiteou. Não aguardou um sinal místico, nem detonou um de seus famosos milagres para testar a reivindicação. Simplesmente conduziu esse caso legal um degrau acima, à instância superior. O veredito final foi imediato:

E o Senhor falou a Moisés, dizendo: "As filhas de Salfaad falaram corretamente; dar-lhes-ás portanto uma propriedade que será a herança no meio dos irmãos de seu pai; transmitirás a elas a herança do pai. Falarás então aos filhos de Israel, dizendo: 'Se um homem morrer sem deixar filhos, transmitireis a sua herança à sua filha. Se não tiver filha, dareis a sua herança aos seus irmãos'".

Esta preciosidade de história, da sua maneira econômica, diz algo sobre a jurisprudência e atitudes sociais hebraicas dos primeiros tempos. As mulheres não eram iguais, mas seu raciocínio podia ser válido, e seus direitos em certas conjunturas tinham precedência sobre os dos parentes homens.

O relato continua. Quando a Terra Prometida realmente surgiu no horizonte, os homens da tribo de Manassés, a tribo das moças, revisitaram o caso com Moisés e os líderes tribais. Então, para pôr uma pedra sobre a questão das terras, Deus enviou a seguinte injunção "às filhas de Salfaad, dizendo: 'Que elas se casem com quem lhes agradar; conquanto se casem com alguém de um clã da tribo de seu pai. Assim a herança dos filhos de Israel não passará de tribo a tribo; os filhos de Israel permanecerão vinculados, cada um, à herança da tribo de seus pais'". Convenientemente, as jovens mulheres casaram-se com seus primos.

Por favor, não passe por cima do casual detalhe "que elas se casem com quem lhes agradar". Gostamos do jeito como é proferido, en passant, como se as mulheres de fato escolhessem livremente os maridos. Nas atuais comunidades judaicas ultraortodoxas a coisa não funciona exatamente assim. E se a limitação do casamento intratribo parece um pouco injusta, você ficará feliz em saber que após o assentamento na Terra de Israel, este preceito divino foi derrubado, e as mulheres puderam se casar também fora da tribo.

A Torá de Moisés veio a existir como um código de lei, séculos antes que a palavra *dat* fosse designada para significar "religião", e milênios antes de *judaísmo* e *yahadut* serem cunhadas. A história das filhas de Salfaad é um relato de emenda constitucional e precedente jurídico. É também um capítulo na história de um povo assumindo soberania. É claro que todo o conto possivelmente é alegórico: cinco moças jovens, ainda solteiras, estendendo-se como os dedos de uma mão sensível para acertar a sintonia fina do sistema legal hebraico. Mas decididamente não é um conto de moralidade religiosa. A principal investida é que o legislador e adjudicador supremo — divino ou humano, como quiser — teve a iniciativa e fez a emenda na lei. Ou, no mínimo, como diriam os talmudistas estritos, clarificou a lei preexistente que fora mal entendida. Ademais, se de fato a mesma lei de herança feminina foi depois modificada novamente, permitindo a herdeiras casar-se até mesmo fora da tribo, então temos um belo e dinâmico caso de revisão constitucional.

Não sabemos se as cinco filhas de Salfaad algum dia existiram. Nós gostamos delas e esperamos que sim. Mas as ideias transmitidas por estas personagens certamente existiram, e ainda existem. É um legado das "doze tribos sob a lei", uma federação relaxada mas próxima, abrigando divisões internas e choques de interesses, mentalidades diversas e lealdades tribais entrecruzadas, sempre negociando seus conflitos e aspirações por meios jurídicos, discutindo e argumentando. Mesmo quando a violência prevalece, quando os piores traços da natureza humana tomam a dianteira, esta comunidade insiste em retornar à legalidade e à negociação: tantas de suas histórias documentam a sobreposição de dramas pessoais e constitucionais.

Em suma, Israel antigo era uma civilização legal e política de pleno direito, não um mero rebanho de correligionários. Como as cinco filhas, nós também reivindicamos esse legado como nosso por direito. Felizmente, a sede bíblica por uma justiça com base na lei é agora compartilhada pela maioria do mundo moderno.

* * *

Quando é que os hebreus, ou os Filhos de Israel, se tornam *yehudim*, judeus?

O termo aparece em Reis 2 e em Jeremias, em que se refere especificamente aos membros da tribo de Yehuda, Judá. Jeremias menciona um cavalheiro que foi conhecido pelo interessante nome de Yehudi ben Netanyahu. Mas então, correnteza abaixo, praticamente no final da linha de tempo bíblica (mas não necessariamente o último livro a ser compilado ou canonizado), ocorreu uma mudança de terminologia. O Livro de Ester usa *judeus*. O povo, agora no exílio e disperso por todo o Império Persa, não é mais israelita no sentido geográfico. Seu nome havia mudado.

Em algum momento entre a destruição do Primeiro Templo e a construção do Segundo Templo, os israelitas tornaram-se judeus. A narrativa bíblica remete a maioria dos cativos na Babilônia à tribo de Yehuda, que reconhecidamente incorporou membros de algumas outras tribos — os biniamitas, simonitas e um bom bocado de levitas. Nos rios da Babilônia, a alcunha *yehudi* foi transformada de tribal em nacional. Uma nação nomeada segundo um pai individual, Jacó/Israel, foi renomeada segundo seu filho Yehuda, reputado ancestral da maioria dos que sobreviveram e retornaram ao lar bíblico. Yehuda, sogro de Tamar, que inadvertidamente gerou os gêmeos desta. As histórias estavam vivas e bem, agora anotadas em papiros e gravadas em pedra.

As lendárias dez tribos do Reino de Israel, já consideradas perdidas, derreteram-se na obscuridade. Os exilados judaicos, carregando uma história formidável em sua bagagem, resgataram e reelaboraram sua identidade coletiva. Muitos deles aderiram a uma série de ondas de volta ao lar, inclusive os liderados por Esdras e por Neemias, o que resultou no emblemático Retorno a Sião nos séculos VI e V AEC. Outros podem ter ficado na terra, jamais tendo saído para o exílio em primeiro lugar, mas foram deixados fora da história. De volta à terra ancestral, os judeus repatriados se mostraram altamente enérgicos, com consciência nacional e abençoados com uma liderança resoluta — muito como seus sucessores simbólicos dois milênios e meio mais tarde, os sionistas, que sonharam e realizaram o Segundo Retorno. Os retornados da Babilônia de fato reinventaram Israel: um novo templo, um novo calendário, novas leis contra casamentos mistos, um particularismo ampliado, uma biblioteca recentemente canonizada e uma nova linhagem de erudição baseada em textos.

Uma grande comunidade judaica, evidentemente próspera, permaneceu na Babilônia e criou o eixo central da erudição talmúdica. Israelitas pertenciam à terra de Israel, mas judeus, desde o início de seu título coletivo, habitaram o mundo amplo. Existe algo inerentemente global em relação a *yehudim*, desde os seu primórdios.

Isto é belamente dito por Zacarias, um profeta que provavelmente retornou da Babilônia com Esdras. Um *yehudi* aparece em suas profecias, uma ocorrência precoce do novo significado amplo do termo. "Naqueles dias veio a se passar que dez homens devem se aproximar, de todas as línguas das nações, devem até mesmo se aproximar do manto dele que é judeu, dizendo: Nós iremos contigo, pois ouvimos que Deus está contigo."

Nós achamos mordaz que este primeiro *yehudi* seja um judeu futurista, na verdade um judeu universal. Ele pertencerá e transmitirá significado a muitas nações, não só a seu povo e terra natal. Zacarias pode ter tido uma queda por palavras novas e modernas, mas o uso que faz delas vai mais fundo do que isso: oferece um momento de transição, uma soleira de passagem de israelita para judeu. De um homem tribal mosaico em sua terra ancestral para um cidadão itinerante, culto, do mundo, cujo Deus foi assumido por muitos outros, mas cujo status foi com frequência menos invejável do que Zacarias gostaria de pensar.

* * *

Então vamos encarar a palavra *judaísmo*. Não queremos prescindir dela, Deus nos livre, apenas para deixar de usá-la como um termo abrangente para tudo que é judaico. É algo tolo demais para representar as histórias e identidades dos judeus.

O termo *judaísmo* provém do latim medieval, e o *Oxford English Dictionary* registra seu uso já em 1251. Era um rótulo administrativo, que aparecia em documentos oficiais e legais referentes à receita fiscal de judeus levantada pelo Tesouro da coroa. *The newe cronycles of England and of Fraunce* (1516), de Robert Fabyan, é um dos primeiros textos a usar *Judaism* em inglês. Mas *Judaism*, assim como *Jewry* [judiaria] e suas várias paralelas em outras línguas europeias, era uma palavra usada apenas por cristãos. Denotava, e com bastante frequência denunciava, pessoas ou ideias judias. John Milton se referiu desdenhosamente a "judaísmos mortos". Os cristãos suspeitos de inclinações judaicas eram acusados de "judaizar-se".

Os próprios judeus, expulsos da Inglaterra durante a época em que o termo *judaísmo* criou raízes, não tinham uso para a palavra. Eis um fragmento comparativo de preferências léxicas: a Bíblia do Rei Jaime escolheu *Judaism* para a tradução inglesa de um termo do 2º Livro de Macabeus, que denota os israelitas no original grego; mas uma tradução hebraica dos mesmos versículos datada do século XIX simplesmente usa *adat yisrael*, a comunidade de Israel.

Outras nações os chamavam de judeus ou hebreus. Os próprios judeus, ao vestir seu manto de aprendizagem, atinham-se ao termo *Israel*, que podia servir como substantivo plural. Na Europa oriental surgiu a já mencionada *Yiddishkeit*, íntima e pé no chão. Hoje ela é como uma nostalgia em chinelos velhos. Tem cheiro de comida de Shabat, livros amarelados, rabinos com barbas prateadas e tias de língua afiada. Como as palavras têm sabor, podemos dizer que o sabor de *Yiddishkeit* é oposto ao sabor de judaísmo, ainda que as definições desses termos no dicionário se sobreponham. Como bem sabem os amantes de palavras, os dicionários não dizem tudo.

O judeu-espanhol, falado pelos judeus sefaraditas depois de sua expulsão da Península Ibérica em 1492, provinha de castelhano temperado de hebraico e outros idiomas mediterrâneos. Para denotar judeus, usava principalmente os substantivos singulares *djudio* e *djudia*, e o substantivo plural *los ebreos*. Mas o termo mais abstrato *judezmo*, que atualmente é às vezes traduzido como "judaísmo", era na verdade um apelido de seu próprio idioma, um dos muitos sinônimos de judeu-espanhol.

Como já discutimos, uma língua não inventa palavras desnecessárias. Por muitos anos os judeus, seus textos e suas línguas não tinham uso para um termo abstrato, um "ismo", para denotar sua identidade coletiva.

No século XIX, o termo *Judaism* tornou-se respeitável mesmo em inglês. Os judeus agora o adotavam com prazer, principalmente graças aos alemães. Como a acadêmica *Judentum*, agora significava o pacote todo — povo judeu, religião judaica, culturas, folclores, ritos e costumes judaicos. Nas universidades alemãs surgiu uma nova "Ciência do Judaísmo", *Wissenschaft des Judentums*. Eruditos judeus podiam agora juntar-se aos seus pares, principalmente protestantes, na pesquisa dessa nova disciplina. Ela foi facilmente traduzida para *yahadut*, que é uma palavra hebraica moderna, inexistente no hebraico bíblico, talmúdico ou medieval.

Claramente falando: *yahadut*, o termo do qual Brenner e Berdyczewski não gostavam, o conceito que pesava sobre eles em seu abraço místico coletivo, foi concebido no árido colo científico de um salão de palestras em Berlim.

É claro que nenhum dos presentes autores propõe descunhar

o termo *judaísmo*. Sabemos que hoje ele é indispensável, tanto léxica como emocionalmente, para judeus e não judeus, acadêmicos e leigos. Mas nossa própria autocompreensão como judeus, que cresceram numa cultura israelense moderna secular, pouco recorreu a *yahadut*. O termo nos deixa gelados, mesmo quando não é jogado na nossa cara por uma ortodoxia que se crê superior. As histórias que estamos contando aqui não são sobre "judaísmo", mas sobre israelitas e judeus, uma marcha de indivíduos profundamente interligados por textos, brigando com Deus e entre si, um caleidoscópio. Judeus e suas palavras são muito mais que judaísmo.

O que nos conduz aos idiomas dos judeus. Hebraico, ídiche, judeu-espanhol (ou ladino) e judeu-árabe são exclusivos da nação, e todos eles são escritos em caracteres hebraicos. Grandes textos judaicos foram concebidos em aramaico, grego helênico, árabe, italiano, alemão, inglês, francês, russo e várias outras línguas. Hoje, algumas delas são obsoletas, e outras não hospedam mais uma criatividade judaica significativa. (No caso do alemão, esta frase é uma atenuação de dar calafrios.) Na nossa época de consolidação linguística e tradução rápida, quase todas as novas literaturas judaicas aparecem básica ou eventualmente em inglês ou hebraico moderno. Assim, nossa conversa global, da qual participam não judeus ao lado de judeus, é agora convenientemente canalizada através de duas *linguae francae*. Há uma dimensão trágica nessa convergência: tantas palavras e mundos perdidos, ídiche e ladino quase desaparecidos. Talvez estejamos errados aqui: um pequeno mas significativo reviver do ídiche está se tornando visível entre pessoas jovens em Israel e outras partes, e a quase morta *mamme-loshn* está cautelosamente penetrando nos campi e nas artes, bem além dos rígidos bastiões ultraortodoxos.

Ainda assim, as duas principais línguas sobreviventes dos judeus são o hebraico e o inglês. Ambas estão bem vivas neste papel. Ainda existe algo de um abismo entre elas, mas muitas pontes estão sendo construídas; o presente livro, escrito em inglês por dois autores que têm o hebraico como língua nativa, é apenas uma dessas tentativas de transpor o abismo.

Pense neste processo como uma Torre de Babel ao contrário. Os judeus pelo mundo não têm sido tão mutuamente inteligíveis desde a queda da Judeia. E tampouco seus escritos algum dia foram mais acessíveis, tanto para judeus como para não judeus. A internet, uma ferramenta talmúdica se é que algum dia existiu algo do gênero, está se tornando o espaço predominante, em constante evolução, para esta interconectividade judaica de última geração.

"Nos anos 1950", recorda-se Saul Bellow, "visitei S. Agnon em Jerusalém e quando nos sentamos para tomar chá, conversando em ídiche, ele me perguntou se eu tinha sido traduzido para o hebraico. Até aquela altura, ainda não. Ele disse com adorável ironia que era uma grande pena. 'A língua da Diáspora não vai durar', ele falou. Senti então que a eternidade estava pairando sobre mim e tive consciência da minha insignificância. No entanto, não perdi totalmente a presença de espírito e para alimentar a brincadeira e manter viva a conversa, perguntei: 'E o que vai ser de poetas como o pobre Heinrich Heine?' e Agnon respondeu: 'Ele foi lindamente traduzido para o hebraico e sua sobrevivência está assegurada.'"

Isto, é claro, é pura arrogância cultural. Agnon seria o primeiro a admiti-lo, e o último a se importar. Todo o projeto de reviver a nossa língua e soberania no século xx provavelmente dependeu de uma enervante *chutzpá*, tingida de autoironia. Mas a alegação básica é válida: a cultura judaica nunca foi equilibradamente multilíngue. Sua essência foi sempre o hebraico, e ela repousa, pelo menos até o século XX, na linhagem literária hebraica. O aramaico do Talmude, o grego de Flávio Josefo, o árabe de Maimônides e o alemão de Moses Mendelssohn, todos extraíam diretamente sua substância de fontes hebraicas. A sentimental "Melodias hebraicas" de Heinrich Heine foi o tributo pago por um romancista a uma língua morta. Mas que ninguém se engane: ela nunca esteve realmente morta. Não para os rabinos, não para os rapazes da *yeshiva*, não para todo homem judeu rezando na língua sagrada três vezes ao dia, não para os reunidos em torno da mesa do Shabat. Dezenas de milhares de livros foram escritos em hebraico durante seu pretenso falecimento, antes e depois da invenção da imprensa, livros sagrados e profanos, preces e tratados rabínicos, cartas e diários de viagens, gramática e poesia, moral e medicina.

No domínio da santidade, *kodesh*, o hebraico sempre foi a língua fundamental dos judeus. Mas mesmo na existência mundana profana que é o oposto de *kodesh*, a esfera cotidiana do *hol*, o hebraico nunca morreu totalmente. Muitas de suas palavras sobreviveram no ladino e no ídiche. Ele serviu em algumas conjunturas como língua comum de judeus em viagem, mercadores e aventureiros que se encontravam mutuamente através da separação sefaradita-asquenazita.

Um grande milagre de revivência teve lugar na Idade de Ouro em Sefarad, o manancial de poesia hebraica escrita na Espanha e na Itália dos séculos X a XV. Das penas de Dunash ben Labrat, Shlomo ibn Gabirol, Yehuda Halevi, Immanuel HaRomi e seus colegas surgiram belíssimos textos cobrindo tanto *kodesh* como *hol*, prece e eros. Sua poesia está viva e passa bem hoje em Israel, mas na sua própria época os grandes escritores sefaraditas não puderam restaurar o adormecido hebraico para a vida do dia a dia. Já então, nenhuma criança havia sido criada nesse idioma em mais de mil anos.

Ao contrário do latim, o hebraico não teve uma segunda

morte no século XVIII. Nessa época, a *língua franca* erudita na Europa deu lugar para as modernas línguas vernaculares. Francês, inglês e depois alemão tomaram conta da literatura, da ciência e da filosofia. O hebraico, ainda adormecido, estava apenas começando a estremecer suas pálpebras, convocado por escritores e jornalistas do Iluminismo judaico, a Haskalá. No começo do século XX, o hebraico havia superado o latim: em vez de sucumbir aos vernáculos modernos, tornou-se um deles.

O hebraico ressurgiu como um idioma falado moderno no fim do século XIX. O lexicógrafo-sonhador russo-judeu Eliezer Ben-Yehuda não foi só o único a revivê-lo, nem foi o primeiro, mas sua casa em Jerusalém, inclusive os filhos, tornou-se o mais famoso laboratório do projeto. Rabinos e acadêmicos, iluministas da Diáspora e pioneiros sionistas, todos tomaram parte nesse milagre feito pelo homem. Observadores perplexos ressaltavam que ninguém tinha feito amor na língua ancestral por dois milênios e meio.

Espere. Não temos certeza. Leia alguns dos versos sensuais de Yehuda Alharizi, por exemplo, e julgue por si mesmo. Admitimos que a poesia erótica hebraica medieval é altamente formalizada. Ela segue padrões fixos, alguns emprestados do árabe. Com muita certeza, suas fontes bíblicas podem passar por mera alegoria. Mas será que nenhum homem judeu jamais proferiu algo em hebraico sobre "uma cerva querida, gazela formosa", Provérbios 5,19, nos ouvidos de uma mulher que talvez tenha respondido segundo as linhas do "Como um gamo é meu amado... um filhote de gazela", Cântico dos Cânticos 2,9?

Diz-se que uma porção de coisas soa melhor em ídiche, possivelmente também em ladino, mas estas linhas soam melhor em hebraico. Se você não pode examinar o original, por favor, aceite a nossa palavra.

As comunidades sefaraditas leem o Cântico dos Cânticos toda véspera de Shabat nas sinagogas, e frequentemente também em torno da mesa familiar festiva. Lembra-se da conjunção bíblica de "dias sagrados" com "leituras sagradas"? Bem, pode-se acrescentar que a noite de Shabat é o melhor momento, na verdade ordenado rabinicamente, para desfrutar o deleite do sagrado matrimônio. O Cântico dos Cânticos, como você já sabe, é o texto perfeito para a sacrossanta ocasião. Precisamos acrescentar mais alguma coisa?

Os autores da Idade de Ouro de Sefarad parecem muito versados no sentido erótico dos jogos de expressões bíblicas. Muitos desses poetas eram conhecidos como rabinos e assinavam seus nomes com esse título, o que não os impedia de redigir refinadas obscenidades. Alegoria? De jeito nenhum. Era uma poesia brilhante, desavergonhada, sexual, às vezes homossexual, de amor carnal.

Esses bardos sefaraditas têm agora um milênio de idade. Que seus poemas, tanto sagrados como profanos, estejam recebendo melodia e sendo cantados nos palcos de Jerusalém e Tel Aviv, abarcando todo o espectro da sinagoga para a televisão, e da ópera para a boate, para nós é um milagre secular. Nada menos que isso.

Nós nos consideramos especialmente afortunados por termos nascido no hebraico moderno, respectivamente uma e duas gerações após ele ter sido reiniciado em sua existência. O artigo na Wikipedia sobre a língua hebraica nos conta em uma sentença seca na barra lateral: "Extinta como língua nativa no século IV EC, revivida nos anos 1880". Aí está uma história tamanho bíblico contada com bíblica simplicidade: uma língua importante foi subitamente chamada de volta à vida a partir de ossos secos.

Como já vimos, em primeiro lugar ela nunca esteve morta, e havia pessoas capazes de escrever e até mesmo falar essa língua durante seus longos anos adormecida. Ainda assim, o feito da ressuscitação desafia a crença.

Muitas palavras antigas estavam prontas para uso. Outras assumiram sentidos novos, e outras ainda foram artesanalmente elaboradas a partir de raízes hebraicas pelas mãos de Bialik, Ben-Yehuda e seus colegas, inclusive nosso tio-avô Joseph Klausner. A nova sintaxe não é primordialmente bíblica, mas se baseia no ídiche e em outras línguas europeias. Pronúncia, ritmo e métrica seguem imperfeitamente o hebraico ritual sefaradita. Alguns desses elementos refletem decisões conscientes tomadas pelos primeiros a falar o hebraico moderno. Trata-se de um híbrido artificial, único, que veio a se tornar uma língua viva, cortante e bastante indisciplinada, saltitando alegremente com outras línguas estrangeiras, especialmente o inglês nos dias de hoje, e brincando com todas as formas de coloquialismo e gíria. Não obstante, hoje as crianças israelenses ainda são capazes de ler a Bíblia, com alguma ajuda. Pode não ser a mesma língua, mas de forma nenhuma é uma língua estrangeira. A maioria das palavras salta da página com um som familiar.

O hebraico moderno é o maior empreendimento linguístico dos tempos modernos. Durante o século XX, o número de pessoas falando hebraico no mundo cresceu de quase zero para mais de 10 milhões. São agora, em estimativas conservadoras, 6 a 7 milhões de falantes nativos, e bem mais de 3 milhões de não nativos, inclusive árabes israelenses e judeus da Diáspora. Pense da seguinte maneira: hoje mais gente fala hebraico do que dinamarquês. Ou lituano. Ou — e é esta que mais gostamos — alemão austríaco. Quem teria imaginado?

Mas a revivência do hebraico teria tido muito menos importância se não tivesse produzido, desde a sua primeira infância moderna, uma literatura respeitável. E também erudição, ensaios, drama e cinema, tudo que fala e ecoa bem além da esfera hebraica. Agnon, Bialik e Brenner, junto com muitos outros, puderam subir a bordo desta velha-nova plataforma para escrever e dizer coisas valiosas sobre a condição humana, não apenas a condição judaica. A cultura hebraica moderna fala para o mundo todo. E vice-versa. Desde os seus primórdios, traduziu e citou, tomou emprestados e adotou textos e palavras de numerosas outras línguas. De todas as conquistas do movimento sionista, o hebraico moderno é a mais criativa, a mais dialógica e a mais global — e de longe a menos controversa.

O hebraico, é claro, sempre foi aberto a influências externas. Pegou algumas de suas palavras iniciais do acadiano, a origem primordial do nosso Éden. O hebraico antigo incorporou palavras egípcias e assírias, muito do aramaico, e vocabulário do persa, grego e latim. Mais tarde vieram palavras do árabe e do turco. Por muitos séculos, o hibernado hebraico teve uma relação íntima de duas mãos com suas línguas judias irmãs, o judeu-espanhol e o ídiche. O hebraico moderno usa a pronúncia sefaradita e a sintaxe ídiche-alemã, e o seu vocabulário, em constante crescimento, tem bons respingos de russo, alemão, polonês, francês e inglês, bem como árabe. Em troca, o hebraico deu às línguas europeias algumas palavras maravilhosas, que tendem a ser ou muito elevadas, ou de baixo teor: desde *aleluia* e *amém* até *ganef* (ladrão) e *chutzpá*.

Há muitas surpresas formidáveis aguardando os estudantes de assuntos internacionais hebraicos. Você sabia que a palavra *macabro* deriva dos Macabeus? Ou que *cidra* provém de *shechar* (bebida forte)? Alguns sugerem que o termo alemão para casamento, *Heirat*, que não possui parentes etimológicos, deriva da frase que cada noivo judeu pronuncia na cerimônia nupcial, *harei at mekudeshet li* ("por meio deste você me é consagrada"). Esta hipótese pode não ser verdadeira, mas é deliciosa demais para se deixar de mencioná-la.

Na mesma moeda, algumas das nossas melhores e mais belas palavras, inclusive a terminologia feijão com arroz judaica, foram generosamente supridas por uma diversidade de *goyim*. Os guardiães do "judaísmo" não diluído devem ter cautela. O acadiano gerou as palavras hebraicas para "livro" e "aprender". *Kasher* é aramaico. O *piyut*, nosso poema litúrgico, foi tirado, sem o menor pudor, do grego *poiétés*. Mesmo *dat* (*lei*, e mais tarde também *religião*) foi importado do persa. Para "um povo que deve habitar sozinho" a lista soa bastante interativa.

E finalmente, mas não menos importante, o autocongratulatório título "O Povo do Livro", especialmente amado pelos políticos e produtores de festivais literários israelenses, vem diretamente do Corão. Nossos irmãos muçulmanos concedem este elevado título, junto com um apropriado grau de tolerância política, às religiões baseadas na Bíblia, inclusive judeus e cristãos. Não temos certeza de quantos judeus sabem a quem dar crédito pelo nosso livresco apelido nacional.

Agora, se houver algum antissemita lendo isto (parabéns por chegar até aqui!) na esperança de arrebanhar apoio para o esgotado estereótipo acerca desses pouco originais plagiadores judeus, pode esquecer. O seu próprio idioma, qualquer que seja ele, é um híbrido semelhante. Todas as línguas e culturas são inveteradas gatunas de lojas. Bom para elas. E o hebraico não é exceção, mas é um exemplo particularmente delicioso.

Nós nos alongamos no hebraico, embora seguramente não tanto quanto ele merece, porque acreditamos com convicção que não se pode fazer "judaísmo" sem olhar profundamente nos olhos da língua e da civilização hebraicas. Isso vale para ambos os hebraicos, o antigo e o moderno. Em épocas em que a maioria dos judeus virou as costas para o mundo, solitários e detestados em seu rígido particularismo, sua língua ancestral permaneceu dormente, uma bela adormecida. Ela já era híbrida, já era impura, cheia de sementes estrangeiras, até despertar num mundo novo de intercursos verbais e culturais.

Mas do semiaramaico Livro de Daniel até o ídiche de Sholem

Aleichem, e do árabe de Maimônides até o inglês de Emma Lazarus, sempre que um texto judaico vê a luz em qualquer idioma, ele é alimentado, de forma aberta ou velada, por um texto hebraico.

Isso nos conduz de volta aos judeus, um substantivo plural com numerosas singularidades. Um dos legados hebraicos mais típicos e cruciais é a centralidade da pessoa individual.

Já dissemos, de passagem, que o poderoso individualismo exibido na Bíblia e nos textos judaicos posteriores não é o individualismo básico da teoria ocidental moderna. Um traço antigo e profundo da cultura hebraica é a centralidade do homem ou mulher singular, criado à imagem de Deus, porém ao mesmo tempo pertencente a diversas pluralidades humanas. Veja como o Gênesis 1,27, no próprio berço, oscila entre os gêneros e entre os pronomes: "Deus criou o homem à imagem Dele, à imagem de Deus ele o criou; homem e mulher ele os criou". A gramática em si flutua neste compacto versículo entre os polos mutuamente complementares que são homem e mulher, singular e plural. Este, anterior ao Jardim do Éden, é o individualismo judaico numa casca de noz.

A Mishná comenta o Gênesis de forma direta e lúcida: "Portanto o homem foi criado único no mundo, para lhe ensinar que quem quer que destrua uma única alma [*nefesh*] conta como se tivesse destruído um mundo inteiro; e quem quer que salve uma alma conta como se tivesse salvado um mundo inteiro".

O Talmude babilônico repete esta frase com uma pequena e vital modificação: "uma única alma de Israel", ele diz. Hoje, algumas pessoas citam a versão universal e outros citam a versão centrada em Israel, às vezes em delicados contextos políticos. Então, vamos deixar bem claro: estamos nos livrando do adendo talmúdico. Vamos relegá-lo ao porão para que junte pó em meio a outras relíquias de família indesejadas. A frase mishnaica, em contrapartida, é parte da mobília da nossa sala de estar. Cada alma é todo um mundo, seja ou não de Israel. Este é o legado judaico que escolhemos.

Maimônides, aliás, está do nosso lado. Em seu *Mishneh Torah*, composto a meio caminho entra a Mishná e nós (um par de séculos a mais ou a menos), também abraçou a versão mishnaica, e deixou Israel de fora dela. Muito bem, Maimônides.

Agora esta preciosa ideia, de que cada alma singular é um mundo inteiro, pode carregar dois significados encaixados. O primeiro é que a vida de cada pessoa é de tremenda importância. De fato, já que homem e mulher são criados à imagem de Deus, cada vida é sagrada. Diferentemente de certos conceitos cristãos e muçulmanos do termo *alma*, a palavra hebraica *nefesh* está quase que exclusivamente ligada à vida na terra, e não a uma pós-vida eterna, "pois o sangue é a *nefesh*". Isso, aliás, pode explicar algumas das bases lógicas para os preceitos kasher no abate ritual. No nosso contexto a equação é: *nefesh*, a alma em sua aparência hebraica, significa existência corporal com presença de sangue.

"Ter cuidado com a alma!" é um *pikuach nefesh*, salvar as vidas de outras pessoas. Quase todos os preceitos divinos podem ser suspensos quando há vida e morte envolvidas. Esta ferramenta legal é uma lei fundamental; pode afastar qualquer outra peça de legislação. Mesmo o Shabat, diz Rabi Jose. Mais uma vez, o Talmude babilônico levanta a bandeira do "só-Israel", deixando implícito que não há necessidade de quebrar as leis do Shabat para salvar a vida de um gentio. Ficamos felizes em constatar que hoje muitos rabinos em Israel, seguindo Rabi Kook, consideram a vida do gentio digna de ser salva mesmo no Shabat, exatamente como a vida judia. Outros pensam diferente, e nós consideramos sua opinião uma ofensa.

Os sábios talmúdicos não eram amantes do martírio: só há

três leis mosaicas pelas quais vale a pena morrer. São rotuladas de *yehareg u-val ya'avor*, seja morto e não ceda: idolatria, intercurso sexual ilícito e derramamento de sangue. Abandone sua vida, ou as vidas de outros, em vez de violar essas proibições cruciais. Os presentes autores juntam-se a muitos judeus modernos — talvez, por definição, *todos* os judeus modernos — ao relegar a primeira dessas proibições capitais ao porão empoeirado. A segunda requer uma redefinição. A terceira, a disposição de pagar com a sua vida (ou as vidas de outros) para evitar derramamento de sangue, está aberta a muitas interpretações. Entre elas está o único argumento subjacente para uma guerra justa na nossa época. É o tipo de preceito talmúdico que requer cautela, diluição e associação com outras filosofias morais, nem todas judaicas. Como muitos blocos de sabedoria antiga, é um preceito desregrado demais para que lhe seja permitido sustentar-se sozinho.

Mas a beleza do *pikuach nefesh* é a regra em si, não as exceções. Exceto o trio mortal que acabamos de listar, qualquer outra formidável lei hebraica dada por Deus torna-se flexível quando está em jogo a vida humana. Poder-se-ia chamar isto, inversamente, de *Ya'avor u-val yeharg*, quebre a lei e não morra. É aí que a visão judaica pé-no-chão-deste-mundo se apresenta alta e imponente, sem disposição para o martírio (embora tenhamos alguns poucos mártires bem lembrados), ignorando a promessa de uma santidade pós-vida e apegando-se à carne e sangue, à *nefesh*. Foi isso que manteve tantos *marranos*, os judeus convertidos à força em Portugal e na Espanha católica, fechados atrás das venezianas em torno de suas minúsculas chamas de identidade judaica. Muito poucas coisas são dignas de se morrer por elas, e menos coisas ainda são dignas de se sacrificar os próprios filhos. Quando em dúvida, opte pela vida. O Deuteronômio tem o *locus classicus*: "Mostrei diante de ti vida e morte, a bênção e a maldição; portanto escolhe a vida, para que possas viver, tu e tua semente". E Eclesiastes, em profunda conversa com a morte, tem um pequeno e belíssimo louvor à vida: "Pois doce é a luz, e agradável aos olhos é ver o sol".

E já que todos os homens e mulheres foram criados à imagem de Deus, o sol é doce a todos os olhos, todas as vidas são sagradas e as regras do Shabat devem ser quebradas para salvar toda vida humana.

O segundo significado de "quem quer que salve uma alma, conta como se tivesse salvado o mundo inteiro" é ainda mais fascinante do que o primeiro. O mesmo capítulo da Mishná explicita, mais uma vez com clareza cristalina. Um homem, mortal, diz a Mishná, "cunha muitas moedas em um molde, e são todas parecidas; mas o Rei dos Reis [...] estampou cada pessoa com o mesmo selo de Adão, e nenhuma delas se parece com outra. Portanto cada pessoa deve dizer: 'Por minha causa o mundo foi criado'".

O principal intento deste trecho, alinhado com o primeiro significado, é sublinhar a absoluta necessidade de responsabilidade pessoal sobre as vidas dos outros. Todo ser humano é uma versão única do Homem original, estampado individualmente à imagem de Deus. Só os maus olham as desgraças das outras pessoas e dizem "O que este problema tem a ver conosco?". O restante de nós entende, nas palavras do poeta John Donne com sua mentalidade bíblica, que nenhum homem é uma ilha.

Mas note a reflexão mishnaica sobre a questão da diversidade humana. Este lampejo é um bônus, estendendo-se para além da declarada importância de toda alma. Em princípio, poder-se-ia ter argumentado em favor da santidade de cada vida humana mesmo se fôssemos todos essencialmente uniformes, todos parecidos com Adão, como ervilhas numa vagem, ou moedas num molde. Assim, a Mishná tem algo mais a dizer sobre nós: toda alma é "um mundo inteiro" e cada mundo desses é diferente de todos os outros.

Este não é o individualismo ocidental, mas a individuação judaica. A pessoa singular não é mais pesada que o grupo, tampouco o "eu" mais importante que o "você" ou o "nós". Em vez disso, cada um de nós deve ser infinitamente importante para os outros e para o coletivo, porque cada um é uma variante única da imagem de Deus. Ou, se você é secular e reivindica este legado, somos, cada um, um bloco singular de humanidade. Irrepetível, insubstituível e parte de um todo.

Não é de admirar que os livros hebraicos antigos — Bíblia, Mishná e Talmude — estejam transbordando com os nomes, vozes e palavras idiossincráticas de tantos indivíduos.

Todos eles têm nomes. Desde que Deus chamou Adão de Adão, e Adão deu nome a todos os animais e a Eva, a Bíblia parece adorar chamar as pessoas pelo nome. Pode-se imaginar facilmente centenas de indivíduos arrastando-se para fora da obscuridade, insinuando-se através das brumas do tempo, empurrando-se uns aos outros com os cotovelos na briga para serem mencionados, registrados, lembrados.

Cotovelo a cotovelo eles estão postados ali para toda a eternidade. Conheça Elisur filho de Sedeur, Salamiel filho de Surisadai, Naasson filho de Aminadab, Natanael filho de Suar, Eliab filho de Helon, Elisama filho de Amiud, Gamaliel filho de Fadassur, Abidã filho de Gedeão, Aiezer filho de Amisadai, para não esquecer de Fegiel filho de Ocrã, Eliasaf filho de Reuel, e o último mas não menos importante, Aíra filho de Enã, que conseguiram todos, de algum jeito, espremer-se para dentro do Livro de Números, capítulo 1.

Não temos intenção de sermos rudes. Todos esses homens foram importantes. "Esses foram os homens escolhidos na comunidade; eram chefes da tribo de seu antepassado; e esses eram os cabeças dos milhares de Israel. Então Moisés e Aarão tomaram esses homens que haviam sido designados nominalmente."

Nomear importa. O anonimato nunca foi grande coisa na tradição judaica. Não só príncipes ou profetas, mas também os "milhares de Israel" estão se empenhando em serem vistos e ouvidos. Esta necessidade israelita e judaica de dar nome e ser nomeado refere-se à importância e autoimportância dos indivíduos. E também tem a ver com vaidade, seguramente. Mas também com responsabilidade. Aquele que faz coloca-se por trás do seu feito, os pais por trás de sua prole, e o rabino por trás da sua interpretação.

Quer mais? Tente Gênesis 11, onde é devidamente anotada toda a linhagem masculina de Sem a Abraão; ou os intermináveis registros dinásticos na abertura dos capítulos 1 Crônicas; ou Números 26, de novo uma longa lista de nomes... espere. Esta é interessante.

À primeira vista parece ser um censo de todos os homens aptos a combater, que Deus manda Moisés contar antes de entrar na Terra de Israel. Mas a meio caminho da lista aparece uma mulher — uma amazona israelita? — chamada Sera, filha de Aser. Aí, se você seguir lendo, verá que o censo não é realmente de homens-em-armas, mas sobre o futuro loteamento da propriedade na terra ancestral:

> E o Senhor falou a Moisés dizendo: "A estes a terra será distribuída em herança, segundo o número dos inscritos. Àquele que tem um número maior [de famílias] tu darás uma propriedade maior, e àquele que tem um número menor tu darás uma propriedade menor; a cada um a sua herança, em proporção ao número de seus recenseados". (Números 26,53-4).

Note a ligação entre nomear, direito, propriedade de terras e pertencer. Note que o novo Estado israelita, a ser conquistado e colonizado em breve, é concebido como uma verdadeira república. Com isso nos referimos a um regime onde numerosos cidadãos, todos proprietários numa base igual, nenhum rico demais, nenhum pobre demais, formam a espinha dorsal de uma sociedade civil estável. Ela se baseia na força política de muitos, não de poucos nem de um.

República e *cidadão* e *civil* não são palavras hebraicas. São romanas. De fato, gregos e romanos foram os primeiros a criar uma teoria política da república, junto com outras formas de governo. A Bíblia hebraica, que contém alguns momentos muito políticos, não é um livro-texto de filosofia política. Mas a historiadora entre nós e alguns de seus colegas estão convencidos de que há uma grande dose de *pensamento* político imerso na legislação bíblica, em algumas narrativas bíblicas, e em alguns textos proféticos e poéticos. O que o Livro de Números revela aqui, uma percepção crucial que se perde facilmente nas longas listas de Aminadabes e Aiezeres, é que o Estado israelita inicial foi concebido como uma república agrária de pequenos proprietários de terra quase iguais, organizada como uma confederação de tribos habitando suas respectivas parcelas geográficas. Um domínio de justiça distributiva.

Talvez tenha sido concebido desta maneira apenas em retrospecto, apenas como uma ideia desejosa, mas mesmo assim uma ideia nobre: as "doze tribos sob a lei", sob seu Deus e sob seus meticulosos registros textuais.

E, portanto, Flávio Josefo não estava totalmente errado quando categorizou o antigo Israel, para conveniência de seus leitores greco-romanos, como uma "república teocrática". Não teocrática como num regime de mulás, mas teocrática no sentido de que sua Constituição foi atribuída ao grande legislador no céu, que subsequentemente recuou, deixando seu povo sob seus dispositivos terrenos sob a Lei. Se Deus existe, ou se Deus é a Lei, praticamente não interessa. O que nos fascina é que sob este Deus e sua Lei floresceu uma sociedade, na história real ou em posterior narrativa desejosa, que tentou manter a propriedade para quase todo o povo, numa base bastante igualitária. O Jubileu restaurava a propriedade a seus donos originais que tinham sido desafortunados de perdê-la. O ano sabático permitia a escravos sair livres e dívidas serem canceladas. Todo mundo deveria, de forma geral, ser livre, alimentado e respeitado.

E não se tratava somente de propriedade. O velho clichê antissemita que liga judeus ao dinheiro entende mal a complexidade da economia moral judaica, que estimula a propriedade e ao mesmo tempo a delimita estritamente em nome de fins mais elevados. No Israel antigo — real ou imaginário — uma pletora de pequenos proprietários sólidos significava um amplo eleitorado de participantes politicamente ativos. Indivíduos com vozes.

Mais abaixo na escala social, entre os sem-terra, ninguém deveria ficar faminto ou sem roupas, nem a viúva, nem o órfão, nem "o estrangeiro entre vós". Naomi e Ruth pertenciam a essa classe quando vieram a Belém. Mas os feixes de trigo que recolheram nas margens do campo de Boaz não foram caridade, nem favor, nem bondade do coração de Boaz.

Israel antigo, você vê, era uma cultura de justiça com base na lei, não filantropia de bom coração. Aquele trigo não era mais propriedade de Boaz. Era uma obrigação legal do homem rico, e um direito das mulheres pobres.

Então quem foi Sera filha de Aser, que conseguiu se meter na lista de chefes de família com direito a posse de terras em Israel? Esta senhora já é mencionada no livro de Gênesis, e alguns intérpretes pensavam que ela tinha vivido até a madura idade de alguns milhares de anos. Os contos midráshicos lhe atribuíam todo tipo de conhecimento mágico, inclusive "o segredo da redenção", graças a sua suposta longevidade. Mas se levarmos o contexto a sério, e nos recordarmos de que Sera aparece num levantamento de população tendo em vista direito de propriedade de imóveis, podemos desconfiar razoavelmente de que houve ainda outra mulher muito forte, ou seus descendentes, reivindicando mais uma exceção para as regras da herança exclusivamente masculina.

Eis que entram aí as filhas de Salfaad. Elas seguem Sera no capítulo imediatamente seguinte, Números 27. Isto não deveria nos surpreender: sua história é uma parte lógica da história do censo, representando um caso de família totalmente feminina. Como você se lembra, a Bíblia as nomeia devidamente, todas as cinco, e Deus aceita seu apelo e ordena a Moisés que lhes conceda sua cota de terra.

Temos certeza de que você não se importará se repetirmos os seus ressonantes nomes: Maala, Noa, Hegla, Melca e Terza. É claro que estes nomes soam um tanto lendários. Tem sido observado que o território bíblico de Manassés, ladeando o rio Jordão (e cobrindo pedaços da atual Jordânia, o Território Palestino e Israel), tem pelo menos três nomes de lugares geográficos que soam de forma muito semelhante aos nomes Maala, Hegla e Terza. Teriam sido os bens históricos das três filhas? Ou talvez, ao contrário, a lenda das cinco irmãs proveio dos nomes desses antigos lugares?

As filhas de Salfaad podem muito bem ter sido o tema de um conto de fadas, junto com as três filhas nascidas a Jó depois que ele se reergueu da sua calamidade — Jemima, Quézia e Kéren-Hapuque. Por que se deveria supor que qualquer um desses nomes pertença a pessoas históricas, a mulheres de carne e osso? Quando se trata das filhas de Jó, nossa própria sensação visceral como leitores corresponde à linha talmúdica citada num capítulo anterior: Jó nunca existiu, não passou de uma fábula.

Exceto por uma estranha coincidência.

Como podemos lembrar, Jó deu a suas filhas "herança entre seus irmãos". Justaposta à história de Salfaad, esta sentença se destaca na página. O caso das filhas de Jó é ainda mais radical, porque Jemima e suas irmãs não eram as últimas de sua linhagem masculina. Mas tem-se a sensação de que está em andamento um certo tema comum. Talvez o Livro de Jó esteja parafraseando conscientemente o caso das filhas de Salfaad do Livro de Números. Talvez se esperasse que o público-alvo reconhecesse a alusão.

Fábula ou realidade histórica, provavelmente jamais saberemos. Mas temos sim um elo conceitual e verbal passando sob a superfície, ligando diferentes livros, épocas e gêneros bíblicos. Trata-se do elo, inequívoco no caso de homens, e mais raro mas incisivo no caso de mulheres, entre ser nomeado e ser importante, com direitos, autossuficiente.

Nossa Bíblia é portanto uma enorme Arca de Noé, repleta de homens e mulheres fugindo do dilúvio do esquecimento. O desejo de ser nomeado reflete-se no sistema legal — ou será que o sistema legal ecoava o ambiente de personalidades fortes? — no qual reconhecimento, dignidade e propriedade funcionavam juntos. Com bastante frequência, como no caso das filhas de Salfaad, também ajudou as vocais, determinadas, ousadas e sem medo de velhos barbudos.

O Talmude, também, está transbordando de indivíduos, em sua forma letrada e masculina. Algumas citações permaneceram sem serem atribuídas a ninguém, mas ninguém opta pelo anonimato. Ninguém é modesto demais a ponto de não querer ser mencionado pelo nome. Ninguém cria sem assinatura, como frequentemente se esperava que artistas cristãos medievais fizessem, pelo simples amor a Deus.

Se abrimos o Talmude pela primeira vez, a simples quantidade de nomes em cada página nos surpreende. Cerca de 120 *tanaim* (sábios da Mishná) e 760 *amoraim* (sábios do Talmude) são conhecidos pelo nome. Alguns pesquisadores vão ainda mais longe, estimando o número de talmudistas na Babilônia como em Israel em mais de 2 mil, até mesmo 3400. Aqui não estamos falando de qualidade, só de quantidade. Na verdade, achamos que uma dúzia de filósofos, dramaturgos e historiadores gregos deram ao mundo um legado escrito mais fino do que milhares de talmudistas. Com todo o devido respeito ao Livro de Números, grandeza cultural não é necessariamente medida por números.

Mas há algo de fascinante na simples massa de rabinos instruídos. É absolutamente estarrecedor encontrar tantos indivíduos, amontoados em duas comunidades diferentes de uma pequena nação, do lado perdedor da história militar e política, realizando atividade intelectual pelo seu simples caráter abençoado.

Tanto os talmudistas da Terra de Israel como seus colegas babilônicos viviam em relativa pobreza, sob o jugo de governantes estrangeiros. Já mencionamos que muitos deles trabalhavam duro para fazer frente a suas despesas: eram sapateiros, ferreiros, comerciantes. Mas numa determinada época a partir do século II AEC numerosos homens judeus são conhecidos pelo nome graças a sua erudição. Vamos deixar claro o ponto. Desde a Antiguidade até o início da modernidade, a maioria dos judeus em registros históricos está nos registros *porque estudou*.

Não havia mais profetas ou reis. Sua erudição não floresceu nos palácios e academias de impérios vitoriosos. Sua cultura não gerou heróis e soldados para defendê-los, príncipes para patrociná-los, ou benfeitores para comprar-lhes livros e instrumentos científicos. Seu heroísmo humilde se manifestava entre as paredes da modesta sala de aula, escarnecido pelos gentios, vulnerável e não celebrado. As palavras eram suas catedrais.

Quando Brenner lutou com as imposições do judaísmo, e quando Berdyczewski insistiu que deveria ser dada primazia aos judeus sobre o judaísmo, eles falavam como legítimos modernistas do começo do século xx. Suas palavras provocativas marcaram uma "virada individualista", inspirada pela nova filosofia, especialmente a alemã. Mas estavam também agindo em conformidade com algumas tradições hebraicas e judaicas muito antigas. Brenner e Berdyczewski sentiam, como nós também sentimos às vezes, que "judaísmo" é uma abstração conveniente e convencional que arrisca aplainar as imensuráveis diferenças entre judeus. A compreensão de que cada alma é um mundo inteiro.

É claro que a comunidade é de tremenda importância. O indivíduo judeu é definido pelos outros, mesmo que discuta e brigue com eles. É também definido pelas leis, mesmo que opte por apelar contra elas, rebelar-se contra elas, ou ignorá-las solenemente. Enquanto ainda tivermos nossas palavras comuns, seremos uma comunidade. E comunidade tem sido um modo natural de existência judia desde as agitadas tendas de Jacó até o atual redespertar dos kibutzim. Mesmo Tel Aviv, atulhada de individualistas extremamente autocentrados, é mais íntima e familiar, com maior participação pública que a maioria das cidades que conhecemos.

Nenhum homem é uma ilha, escreveu o grande Donne. O romancista entre nós acrescenta: verdade, nenhum homem é uma ilha, mas somos todos penínsulas. Em parte por nossa própria conta, cercados por águas escuras, e em parte ligados a um continente, a outras penínsulas, ao substantivo plural.

Encerramos com uma poeta hebraica moderna singular que assinava seus trabalhos apenas com o primeiro nome, Zelda. Nos idos dos anos 1940 em Jerusalém, ela era a adorada professora de segundo grau do romancista entre nós. E era a sobrinha do Grande Rabi de Lubavitch. Nenhum de seus hassidim ousaria lê-la agora; temos esperança de que algumas de suas esposas o façam em segredo.

Um dos mais conhecidos poemas de Zelda, "Cada homem tem um nome", é a sua visão da citação do Midrash Tanhuma usada como epígrafe para este capítulo. Ele foi musicado, e os israelenses adoram cantá-lo nos tristes dias de recordação do Holocausto e das guerras árabe-israelenses. Ei-lo, em parte:

Cada Homem tem um nome
Dado a ele por Deus
E dado a ele por seu pai e sua mãe.
Cada homem tem um nome
Dado a ele por sua altura e pelo jeito de andar
E dado a ele pela roupa [...]
Cada homem tem um nome
Dado a ele por seus pecados
E dado a ele pelos seus anseios [...]
Cada homem tem um nome
Dado a ele pelo mar
E dado a ele por sua morte.

Mas os israelenses estão entendendo errado. O poema de Zelda não é apenas, nem principalmente, sobre a morte. É sobre a vida. Ele toca naquela velha individualidade-no-pertencer judaica que estampa cada pessoa com o selo de Adão, sem nenhuma se parecer com outra, e sem ninguém estar totalmente só.

Esta verdade é mais profunda do que judaica. É universal. Todos recebemos nossas identidades de outras pessoas e outras coisas. Recebemos nosso nome por tudo que soubemos e por tudo que fizemos.

O nome completo dela, aliás, era Zelda Schneersohn-Mishkovsky.

Epílogo

> *Quanto a ti, Daniel, guarda em segredo estas palavras e mantém lacrado o livro até o tempo do Fim. Muitos andarão errantes, e a iniquidade aumentará.*
>
> Daniel 12,4

> *Hot er gesogt!*
> Expressão ídiche. Tradução literal: Assim ele disse! E daí?! Por que *você* tem que se importar?

Neste pequeno livro tentamos dizer alguma coisa nossa sobre as longitudes da história judaica. Talvez você tenha discernido alguns resíduos de um diálogo entre os dois autores, às vezes até mesmo discussões: um pouquinho de conflito intergeracional, diferentes perspectivas de gênero, ou escaramuças sutis de ficção e não ficção. Em outras palavras, esperamos nos encaixar no enredo, ainda que como personagens secundários.

Não existe maneira de reconhecer todas as fontes e sabedoria que inspiraram este livro. Algumas são mencionadas no texto, inclusive alguns estudiosos contemporâneos, e mais alguns estão listados nos nossos agradecimentos e na lista de fontes. Foram feitos esforços para dar crédito onde crédito é devido, mas como podemos agradecer a todos os arquitetos e construtores da cidade de palavras na qual residimos?

"Teus filhos não são teus filhos", escreveu Khalil Gibran, um poeta libanês-americano. "Eles são os filhos e filhas da Vida ansiando por si mesma." Sendo estereótipos de pais judeus, não podemos conceder a posse de nosso rebento com tanta facilidade. Mas podemos parafrasear Gibran da seguinte maneira: Suas ideias não são suas ideias. São a prole da estante na sua parede e da língua que você habita.

Como não especialistas em história judaica, nós recorremos a ela a partir de nossos respectivos campos de história, literatura e narrativa intelectual europeia. No caminho, podemos ter aborrecido tanto especialistas acadêmicos como crentes ortodoxos. Disputas, no entanto, são bem-vindas. Estaríamos perfeitamente dispostos a ser corrigidos pelos (ou continuar discutindo com) os primeiros, e a ficar longe dos (mas continuar discutindo com) os últimos. Que as nossas controvérsias se mantenham chiando. Que todos toquemos trombetas para o fim dos tempos, correndo de um lado a outro, e o conhecimento crescerá.

Nesse meio-tempo, conforme diz o velho ditado judaico, por favor, não leve tudo tão a sério. Não é saudável para você. *Hot er gesogt!* São só palavras.

Mas antes de calarmos as palavras e selarmos o livro, como o profeta Daniel tão habilmente disse, queremos dizer mais algumas coisas sobre as entrecruzadas avenidas das piadas, da autorrecriminação e da discussão.

Sabemos que você já ouviu esta antes, mas por favor, venha junto conosco: Uma avó judia está andando na praia com seu netinho adorado quando de repente uma onda enorme arrasta o menino para baixo da água. "Caro Deus Todo Poderoso", a vovó grita, "como você pode fazer uma coisa dessas comigo? Eu sofri a vida toda e nunca perdi a fé. Tenha vergonha!" Nem um minuto se passa e outra onda enorme traz a criança de volta sã e salva para os braços da avó. "Caro Deus Todo Poderoso", ela diz, "é muito gentil da sua parte, tenho certeza que sim, mas cadê o chapéu dele?"

Sabemos que essa é velha, mas é clássica. Do que trata realmente a piada?

À primeira vista, é claro, trata da avó judia, que é essencialmente uma dose dupla e reforçada da mãe judia. Como já mencionamos, não somos avessos a piadas de mãe judia, porque muitas delas servem secretamente como pequenos hinos disfarçados ao objeto ranzinza da piada. Logo, sim, a vovó é escandalosa, descarada, instiladora de culpa e busca pelo em casca de ovo, mesmo quando seu interlocutor é o próprio Criador do Universo. Beleza. Mas espere aí, há mais.

Onde está Deus nessa história? Ele pode nem estar nela. Poderia ser uma história de duas ondas, uma mulher e seu neto. Mas, quando supomos que a deidade onisciente mandou as duas ondas, ele parece, com perdão da palavra, meio fracote. O que é que ele achava? Um apologista ortodoxo se apressaria em explicar que Deus podia estar testando a vovó. *Azoy*. Para nós heréticos, parece mais provável que a vovó é que estava testando Deus.

Agora vamos olhar mais fundo. Há uma teologia arrojada aí. E não estamos mais brincando.

Ao contrário da maioria dos crentes da maioria das religiões, nossa vovó não mistura fé com reverência. Ela trata o Senhor das Multidões com uma saudável pitada de *chutzpá*. Minuciosa e mesquinha, impertinente e mal-educada, ela é mesmo assim magnífica em sua devoção não sentimental. Mas devoção a quem, exatamente? Ao neto ou a Deus?

Cuidado. Você não quer mesmo testar essas duas devoções de avó, uma contra a outra. Deus em si não quer realmente saber. E como estamos pessoalmente familiarizados com a vovó, podemos dizer que depois de a piada ter terminado oficialmente, é bem provável que ele tenha humildemente devolvido o chapéu.

Pois, como tentamos transmitir neste livro, enquanto numerosas gerações de judeus devotamente acreditaram que sem Deus não haveria netos, no fundo de seus corações também sabiam que sem netos não restaria nenhum Deus.

Existe uma teologia judaica da *chutzpá*. Ela reside na sutil junção de fé, tendência a discutir e fazer humor de si mesmo. E redunda numa reverência especialmente irreverente. Nada é tão sagrado que não mereça uma zombaria ocasional. Você pode rir do rabino, de Moisés, dos anjos e até mesmo do Todo Poderoso.

Os judeus têm um longo legado de riso, às vezes adjacente ao nosso longo legado de lágrimas. Há uma sólida tradição de autocrítica agridoce, muitas vezes ao ponto da autodepreciação, que se mostrou um instrumento confiável de sobrevivência num mundo hostil. E uma vez que riso, lágrimas e autocrítica são quase sempre verbais, todos eles fluem tranquilamente no hábito hebraico e judaico de discutir por tudo e debater com todo mundo: consigo mesmo, com os amigos, com os inimigos, e às vezes com Deus.

Nossa vovó na praia não é considerada blasfema por ninguém que conhecemos. A Bíblia hebraica deu o tom com Abraão e Jó pechinchando com o Todo Poderoso sobre o que eles enxergam como um desempenho fraco na intervenção divina. Aí vieram os sábios do Talmude, que nos foram apresentados no delicioso conto do Forno de Achnai, mandando uma voz no céu se calar e não se intrometer num debate de eruditos.

Se Deus podia ser tratado dessa forma, nenhum grande herói ou rabino famoso está isento. Numa piada proveniente de Vilna, um inteligente judeu local é indagado como era possível a cama do rei Salomão ser guardada, pois o Cântico dos Cânticos (3,7) nos diz que não menos de "sessenta soldados a escoltam, soldados seletos de todo Israel". Por que tantos? Bem, a resposta está no texto, ele respondeu. Eram sessenta soldados *judeus*, afinal de contas!

Você considera isto autorridicularizante? Nós sim. De uma maneira deliciosa. Se você aguenta mais um pouco, aí vai uma boa dirigida aos milagreiros hassídicos: O Velho Rabi e seu séquito chegaram a uma taverna judia, e o estalajadeiro foi suficientemente descarado para não sair e dar-lhes as boas-vindas. Com raiva, o Rabi decretou: "Que a viga deste telhado sob o qual não reside nenhum homem direito se transforme numa serpente tortuosa!". [Mesmo na sua raiva, veja você, o Velho Rabi lembrou-se do seu Isaías 27,1.] Todo mundo ficou chocado, e o estalajadeiro e sua esposa imploraram perdão. Tomado de piedade, o Velho Rabi retirou a praga. "Que a viga do telhado permaneça uma viga de telhado!", ele trovejou.

E o que você acha? Pronto, a viga do telhado continuou exatamente como era. As pessoas de todo o mundo ainda vêm para ver essa taverna e testemunhar a viga milagrosa.

Como você deve ter notado, expressões bíblicas sempre serviram como excelente combustível para piadas. Assim, como vimos outro dia na internet, um aluno de *yeshiva* israelense pode hoje aplicar amigavelmente a expressão "tomado de tremores", que originalmente descreve os poderosos moabitas apavorados com o Deus israelita (Êxodo 15,15), ao seu próprio telefone celular, ao colocá-lo em modo "vibrar" antes de o rabino entrar na sala.

Nada é santo demais, temível demais, ou adorado demais para ser satirizado. Como no caso da vovó, o mesmo se passa com Deus: muitas vezes, há um pequeno hino disfarçado escondido na piada. Mas às vezes ela é meramente, simplesmente, dispensavelmente, maldosa.

De Moisés e Isaías a Shmuel Agnon e Philip Roth, os judeus têm sido rápidos para verbalizar suas próprias deficiências, individuais ou coletivas, com o topete do habilidoso autoanalista. "Não importa o quanto as coisas fiquem ruins, a gente precisa seguir vivendo, mesmo que isto nos mate", disse Sholem Aleichem, decano do humor judaico da Europa oriental. E quis mesmo dizer o que disse: muitas vezes matou mesmo.

Nos tempos modernos, nas línguas da Diáspora do judeu-espanhol, do ídiche e do inglês, a literatura e o folclore judaicos abriram suas comportas de desafortunada hilaridade. Precisamos dar ao judeu-espanhol o devido crédito como manancial de humor — amiúde irônico ou sarcástico — que possivelmente rivaliza com o ídiche. "*Wa llego Mose, wa ya me alegri!*", dizia-se nas comunidades judias hispânicas no norte do Marrocos. "Bem, Moisés finalmente chegou, e você vê como isto me deixa feliz!" Este tipo de brincadeira agridoce se funde facilmente com a vertente ídiche. A divisa sefaradita-asquenazita podia ser bastante porosa, tanto étnica quanto culturalmente (basta ver o sul da França, a Itália e os Bálcãs, subindo para a Bessarábia e a Ucrânia, onde alguns dos antepassados da família dos autores portam nomes sefaraditas). E por que o judeu-espanhol e o ídiche não haveriam de desenvolver um humor correspondente? Seus motores intelectuais — pois todo humor bem-feito tem motores intelectuais — são similares. E o mesmo vale para as psicologias coletivas. Destino e anseio, memória e exílio, calamidade e couraça verbal, e aquela reverência irreverente que é uma das características judaicas mais persistentes, tudo está aí. A lista de itens funciona de forma parecida para sefaraditas e asquenazitas.

Então Moisés pode chegar, e nós ainda estaremos reclamando. "Sei que nós somos o povo escolhido", reza outro comentário clássico de Sholem Aleichem, "mas Deus, será que você não pode escolher algum outro, para variar?" Da sua parte, Woody Allen criou um novo credo, o Ateísmo do Inepto: "Como posso acreditar em Deus quando ainda na semana passada fiquei com a língua presa na esfera de uma máquina de escrever elétrica?". E, para adicionar insulto ao sacrilégio: "Não só não existe Deus, mas tente conseguir um encanador no fim de semana".

Os israelenses tentam seguir a linha, especialmente quando conseguem evitar a dramatizada autorretidão, que é a assassina silenciosa do humor sóbrio. "Bem", pergunta o repórter da BBC, "vocês vêm rezando pela paz entre judeus e árabes no Muro das Lamentações nestes últimos trinta anos. Qual é a sensação?" — "É como falar com um muro de tijolos", responde o rabino de Jerusalém.

As pessoas que acham que Deus e seu profeta não são tema de risos merecem respeito; talvez até inveja. Uma história de triunfo deixou Alá e Maomé intocáveis aos olhos dos fiéis. Três milênios de encrencas deixaram Moisés, junto com seu Deus, exposto a adversários assassinos bem como à mordaz zombaria interna. "Quarenta anos no deserto", disparou Golda Meir, "e ele finalmente conseguiu nos levar ao único lugar no Oriente Médio em que não há petróleo!" Seus parceiros ultraortodoxos na coalizão de governo não puderam deixar de concordar com toda a sinceridade. Contudo, significativamente, a identidade judaica não se enfraqueceu um pingo por causa dessa reverência irreverente; quando muito, mantém os ateístas como nós enquadrados.

Sim, o humor é muitas vezes rude e grosseiro. Se os judeus são relativamente frouxos em relação à blasfêmia, por que haveriam de se preocupar com um pouco de indelicadeza? Mas dada a escolha entre humor vulgar e fanatismo refinado, nós optamos pelo humor vulgar em qualquer momento. Que compitam a retidão mórbida e a *chutzpá* culta: esta última provavelmente ganhará o dia, ou o milênio. Então, temos a nossa licença, tão velha como o Gênesis, para dar risada da vovó e de Deus, do rei Salomão e do Velho Rabi, junto com todas as outras relíquias sagradas, para a alegria do nosso coração.

E Deus? Se ele existe, deve ser judeu. Se é judeu, seguramente entende um pouco de ladino ou de ídiche. Se entende ladino ou ídiche, seguramente saberá o que dizer se algum piadista vulgar do Marrocos ou de Vilna, de Jerusalém ou de Nova York, fizer algum gracejo com ele. *Hot er gesogt!* Assim ele disse! E daí? Por que *eu* devo me importar? — diria Deus dando de ombros.

E pensando no assunto, por que fazer piadas com o Todo Poderoso se você pode processá-lo? Vários contos hassídicos falam de judeus comuns levando Deus a um tribunal rabínico, *din torah*, sustentando que Ele lhes deve uma moratória desesperadamente necessária. Esses queixosos em sua maioria também ganham o caso na corte. Mas já que riso e lágrimas são vizinhos íntimos na história judaica, esta prática extraordinária segue um caminho horrível. Os bisnetos desses litigantes hassídicos devem ter sido aqueles prisioneiros de Auschwitz que Elie Wiesel relatou ter ouvido tentando processar o Todo Poderoso por tratar o povo judeu de forma tão terrível. Anos depois, a memória o inspirou a escrever sua peça *O julgamento de Deus* (1979), na qual Wiesel optou por situar esse particular caso judicial em 1649, em seguida ao massacre dos judeus na cidade ucraniana de Shamgorod (talvez a histórica Shargorod). Neste caso, Deus é absolvido, declarado inocente, defendido por um carismático estranho que acaba se revelando o próprio Satã.

Mas quão judaico é este tema? Dostoiévski não fez seu Grão-Inquisidor interrogar e julgar Jesus Cristo reencarnado, e julgá-lo culpado, conforme a alucinação de Ivan Karamazov? Sim, é claro. Mas os judeus não têm Grãos-Inquisidores, altivos e equilibrados, igualmente inspiradores de reverência em seus trajes de cardeais e batinas monásticas. Só judeus abjetos, pobres e impotentes, miseráveis internos em campos de concentração, levam seu Criador diante da Justiça. Enquanto o momento de Dostoiévski foi grandioso e especial, nosso tema vai entrando e saindo ao longo de muitos séculos. Enquanto o julgamento divino de Dostoiévski foi lúgubre e sombrio, o nosso tem sido tingido por ironia, e borrifado pela humilde audácia de um povinho marginal e insignificante. Um povo que podia ter raiva de seu Deus também podia rir dele, ganhar uma discussão contra ele, indiciá-lo e condená-lo.

Não que fosse uma prática comum. Poucos judeus podiam estar à altura de levar Deus a um tribunal da lei. Mas todo judeu que tenha lido as Escrituras provavelmente se deparou com a ressonante censura de Abraão: Será que a Justiça de todo o mundo não fará justiça?

E esta, também, é uma das melhores perguntas da Bíblia.

Os judeus nunca tiveram um papa.

O romancista entre nós gosta de dizer que não haveria possibilidade de termos um papa. Pois suponha que tivéssemos, todo mundo ficaria lhe dando tapinhas nos ombros, dizendo que sua avó conhecia a avó dele (ou dela?) em Plonsk ou em Casablanca. Dois graus de separação no máximo. Familiaridade, intimidade, antagonismo — este é o material do qual são feitas nossas comunidades. Cada rabino tem um contrarrabino, todo mundo teve alguma tia maluca, e mesmo os luminares da liderança são um pouquinho risíveis. Nenhum líder espiritual sozinho pode unir o rebanho inteiro de forma inquestionável debaixo de si, a uma distância mística adequada. Sempre haverá alguém para discordar ou objetar; a fumaça nunca sairá branca. Esta é a sina de um pontífice judeu.

E então seguimos discutindo. Abraão com seu Criador, Tamar com os ancião tribais, profeta com rei, Hillel com Shamai, hassidim com "opositores", ortodoxo com secular. Israel é "lutador com Deus", e a própria deidade judaica pode ser surpreendentemente branda com aqueles que riem dela ou brigam com ela, desde a Matriarca Sara até a vovó do chapéu.

O que torna Deus tão leniente a ponto de sofrer tais desaforos? Por que pechincha com Abraão acerca do número de justos para manter Sodoma viva, e aceita amorosamente o questionamento de Jó contra a própria essência da justiça divina? Como pode ele dizer, rindo de prazer, "Meus filhos me derrotaram, meus filhos me derrotaram"?

Nós não sabemos. Em todo caso, não acreditamos nele. Mas pensamos que tenha algo a ver com o modo judaico com as palavras, e também com o jeito de ser pai ou mãe.

Em 1982 o romancista entre nós visitou o assentamento de Ofra na Margem Ocidental e conduziu um acalorado debate com os colonos. Gostaríamos de citar o que ele disse lá, porque cada palavra ainda é relevante para nós, e apropriada para o encerramento deste livro:

Judaísmo é uma civilização. E uma das poucas civilizações que deixaram sua marca em toda a humanidade. Religião é um elemento central na civilização judaica, talvez mesmo sua origem, mas essa civilização não pode ser apresentada como nada além de uma religião. Da fonte religiosa dessa civilização cresceram manifestações espirituais que ampliaram a experiência religiosa, transformaram-na e até mesmo reagiram contra ela: línguas, costumes, estilos de vida, sensibilidades características (ou talvez dever-se-ia dizer sensibilidades que costumavam ser características), literatura, arte, ideias e opiniões. Tudo isto é judaísmo. A rebelião e a apostasia na nossa história, especialmente em gerações recentes, também são judaísmo. É uma herança ampla e abundante.

E eu me vejo como um dos legítimos herdeiros: não como enteado, ou como filho desleal e desafiador, ou bastardo, mas um herdeiro legítimo. E o que resulta do meu status como herdeiro certamente provocará em vocês, pessoal, grande desconforto. Pois resulta que eu sou livre para decidir o que vou escolher da minha herança, o que colocarei na minha sala de estar e o que relegarei ao sótão. Certamente nossas crianças têm o direito de mexer na planta baixa e mobiliarem suas vidas como bem lhes aprouver. E eu tenho também o direito de "importar" e combinar com a minha herança o que eu achar apropriado — sem impor meu teste ou minhas preferências a outro herdeiro, vocês por exemplo. Este é o pluralismo que louvei antes. É meu direito decidir o que me convém e o que não. O que é importante e o que é dispensável, e o que guardar no depósito. Nem vocês nem os ultraortodoxos nem o professor Leibowitz podem me dizer, em quaisquer termos que sejam, que o que me cabe é um pacote fechado, e é pegar ou largar. É meu direito separar o joio do trigo.

E daí resulta outra decisão espiritual fatal. Pode alguma civilização sobreviver como museu, ou ela apenas vive quando veste o traje da improvisação dramática?

Um curador de museu relaciona-se ritualisticamente com sua herança ancestral. Na ponta dos pés, com reverência, ele arranja e rearranja os artefatos, dá polimento às vitrines, interpreta cuidadosamente o significado dos itens das coleções, guia os visitantes atônitos, convence o público e busca, no devido tempo, passar a chave do museu a seus filhos depois dele. O curador do museu proclamará Santo Santo Santo. E também proclamará "Eu sou humilde demais para determinar o que é importante aqui e o que é menos importante. Meu papel é apenas ver para que a luz da herança brilhe na maior quantidade possível de olhos, e que nada seja danificado ou perdido".

Mas eu acredito que não pode haver existência para uma civilização de museu. Ela acabará propensa a murchar e cortar suas energias criativas: primeiro permite inovação apenas sobre os alicerces do que é velho, então a liberdade é restrita à liberdade de interpretar, depois disso é permitido apenas interpretar o significado das interpretações, até que finalmente tudo que resta é polir os artefatos e suas vitrines.

Uma civilização viva é um perpétuo drama de luta entre interpretações, influências externas e ênfases, uma briga incansável acerca do que é trigo e o que é joio. Rebelião em nome da inovação. Desmantelar com o propósito de remontar de maneira diferente. E mesmo botar coisas no depósito para limpar o palco para experimentos e para uma criatividade nova.

E é permissível buscar inspiração em, e ser fertilizado por, outras civilizações também. Isso implica a percepção de que a luta e o pluralismo não são apenas um eclipse ou aberração temporária, mas o clima natural para uma cultura viva.

O herético e o provador às vezes são os arautos do criador e do inovador... Museu ou drama, ritual ou criatividade, orientação total na direção do passado (o que foi é o que será), um mundo em que toda pergunta tem uma resposta nos livros sagrados, todo inimigo novo é simplesmente a reencarnação de um inimigo antigo, toda situação nova é simplesmente a reencarnação de uma situação velha e familiar, ou não? É possível que a história não seja uma roda girando mas uma linha se retorcendo, que mesmo com suas curvas e voltas seja essencialmente linear, não circular?

Devo dizer a vocês que o encontro entre um judeu como eu e

o humanismo ocidental, com suas raízes de cima na Renascença europeia e suas raízes profundas em tempos mais antigos, não tem semelhança com todos os encontros anteriores entre judaísmo e helenismo, ou judaísmo e cultura islâmica. Este encontro com o humanismo ocidental é fatal, formativo, constitucional, irrevogável. E se vocês perguntarem: "Por que este encontro é diferente de todos os outros encontros?", eu lhes diria que quando nós, meus antepassados e eu, nos encontramos com o humanismo europeu durante os últimos séculos, particularmente em suas formas liberal e socialista, talvez tenhamos reconhecido nele, talvez meus antepassados tenham reconhecido nele, certas assombrosas semelhanças genéticas. Porque o humanismo ocidental também tem genes judeus.

Quem é judeu? Quem quer que esteja brigando com a pergunta "Quem é judeu?". Aqui está a nossa definição pessoal: qualquer ser humano que seja louco o bastante para se chamar de judeu é judeu. É um judeu (ou judia) bom ou mau? Isto cabe ao judeu seguinte dizer.

Este livro pode não conter muitas palavras, mas tem uma população de muitos judeus. Queremos terminá-lo com um não judeu: Jorge Luis Borges, escritor, bibliotecário e mago da linguagem.
No seu conto "Pierre Menard, autor do *Quixote*", escrito na terminologia seca de um bibliógrafo, Borges conta como um romancista francês moderno (inexistente) senta-se um dia e escreve, em espanhol, palavra por palavra, o clássico do século XVII, de Miguel de Cervantes, *Dom Quixote*.
Preste muita atenção: Menard não *traduz*, nem *copia*, nem *cita*, nem *parafraseia*, nem *resenha*, nem *comenta*, o livro de

Cervantes. Ele o *redige como autor*. Agora é um livro novo. É o livro de Menard.

Toda vez que um de nós, ou você, ou o rabino, ou a filha do rabino, lê um texto, nós somos seus autores à nossa própria imagem. O livro de Deus torna-se o livro de Isaías, e o livro de Raban Yohanan, e o livro de Osnat Barazani, e o nosso livro, e o seu livro. Mesmo que repitamos literalmente as palavras antigas, não são mais as palavras antigas, são palavras novas, e são nossas, à nossa imagem, em nossos contextos, até que o próximo autor venha, o próximo Pierre Menard.

Pois nunca se pode entrar duas vezes no mesmo rio, disse o sábio filósofo grego Heráclito. E seu discípulo Crátilo acrescentou: nem mesmo uma vez.

Nossas palavras não são nossas palavras. Elas mudam à medida que as proferimos. Elas nunca permanecem tempo suficiente para "pertencer". É um pouco como a nossa prole no já citado verso do sábio poeta árabe Gibran: "Teus filhos não são teus filhos". Podemos desejar que os nossos filhos continuem as nossas palavras; em vez disso, eles serão autores de um livro novo.

E assim é com "os judeus". Com frequência, neste ensaio e ali fora no mundo, os judeus não são os judeus. São toda a humanidade quando se enfrenta história, significado e lei, postos por escrito. Tente substituir a palavra *judeu* neste livro por *leitor*. Em muitos lugares você ficará surpreso de como dá certo.

Mesmo o antissemitismo pode às vezes ser traduzido em silêncio brutal, queima de livros, bloqueio da web e censura. Em todo lugar.

Texto e individualidade, humor e discussão, mulheres com língua e crianças com perguntas — não são modos de toda existência humana, visíveis em toda residência humana, se for permitido?

Sim, algumas coisas são intraduzíveis, graças aos céus. Línguas, por exemplo. O esplendor granítico do hebraico e o tempero forte do ídiche jamais podem se tornar sabores universais. E a vovó, também, vamos deixá-la ali na praia, com toda sua birra judaica ancestral, testando o Senhor Todo Poderoso, neto nos braços.

Mas todas as outras coisas são abertas para todos, para qualquer um louco o bastante para reivindicá-las.

Fontes

1. CONTINUIDADE [pp. 15-70]

A epígrafe deste capítulo é do *Sefer Yetzirá*, o Livro da Formação (ou Criação), um texto hebraico esotérico provavelmente escrito no início do primeiro milênio EC, possivelmente em Israel. Os três componentes de tudo que existe, "Número, Escrita e Discurso", são em hebraico *sfar, sefer* e *sipur*, todos derivados do radical de três letras ספר. Utilizamos a tradução para o inglês de W. W. Wescott (1887), disponível em <http://www.sacred-texts.com/jud/yetzirah.htm>. Somos gratos a Rachel Elior por esta referência.

Não é uma linhagem de sangue mas uma linhagem de texto: nossa abordagem à continuidade judaica não exclui a pluralidade de experiências judaicas ou as sempre presentes interações frutíferas entre as culturas judaica e não judaica, como foi explorado recentemente, e significativamente, em *Cultures of the Jews: A New History*. Org. de David Biale (Nova York: Schocken, 2002). No entanto, mantemo-nos comprometidos com uma visão dos textos judaicos como básica e constantemente conversando com textos judaicos anteriores. Para esta ênfase de conversa interna ao longo dos tempos, ver a resenha de David Roskies sobre o livro de Biale em *Commentary*, fev. 2003.

Tal continuidade tem sido recentemente questionada: ver especialmente Shlomo Sand, *The Invention of the Jewish People*, traduzido para o inglês por Yael Lotan (Londres: Verso, 2008). Enquanto Sand rejeita qualquer "origem" bíblica dos judeus de hoje, a qual equipara a noção de povo com nacionalidade baseada em raça, outros autores tentaram desqualificar as origens bíblicas argumentando que grande parte das pretensas narrativas históricas da Bíblia não é sustentada por fatos arqueológicos no solo. Ver especialmente *The Bible Unearthed: Archaeology's New Vision of Ancient Israel and the Origin of Its Sacred Texts*, de Israel Finkelstein e Neil Asher (Nova York: Free Press, 2001). Nós consideramos estes livros sérios e instigantes, mas discordamos intensamente de suas respectivas compreensões da continuidade judaica, do que ela trata e o que é realmente importante nela.

O poema de Yehuda Amichai "Os judeus" foi publicado em seu livro *Mesmo um punho já foi um dia uma palma aberta com dedos,* de 1989. Aqui e no capítulo 4 damos a nossa própria tradução, mas ver a versão para o inglês de Barbara e Benjamin Harshav, *Even a Fist Was Once an Open Palm with Fingers* (Nova York: HarperCollins, 1991).

"A coragem de ser secular: Os religiosos, os não religiosos e os seculares" foi publicado em hebraico em *Shdemot* 79 (1981). Prevista uma tradução para o inglês de Shmuel Gertel, a aparecer em *New Jewish Culture: New Jewish Thought in Israel*, organizado por Yaakov Malkin, em breve.

Os que falam o hebraico moderno "compreendem" o hebraico bíblico? Ghil'ad Zuckermann questionou até a reivindicação do hebraico moderno de ser chamado "hebraico", propondo que fosse encarado como "israelense", um híbrido tardio de hebraico antigo, ídiche e outros idiomas: Zuckermann, *Israelit SafáYafá* [Israelense: uma bela língua] (Tel Aviv: Am Oved, 2008). Nós respeitosamente discordamos.

Três palavras, todas substantivos, transbordando de significado: ver o relato de Erich Auerbach sobre a concisão bíblica, em contraste com a prolixidade épica do grego antigo, no primeiro e belo capítulo "Odysseus' Scar", de seu *Mimesis: The Representation of Reality in Western Literature*, publicado pela primeira vez em 1946, traduzido para o inglês por Willard Trask (Princeton: Princeton University Press, 2003) [Ed. bras.: *Mimesis: a representação da realidade na literatura ocidental*. (6. ed. São Paulo: Perspectiva, 2013)].

O Talmude como texto hebraico antigo: embora grande parte do Talmude seja em aramaico, nós ainda assim o chamamos de texto hebraico, por mérito de seu constante envolvimento com conteúdo bíblico e em virtude do parentesco de primeiro grau entre hebraico e aramaico.

Mordecai Kaplan sobre civilização judaica: *Judaism as a Civilization: Toward a Reconstruction of American-Jewish Life* (1934; Filadélfia: Jewish Publication Society, 2010. p. 196).

"E Moisés recebeu a Torá no Sinai": Mishná, Avot, capítulo 1.

Quem eram exatamente os Anciãos? Cf. Michael Walzer, "Biblical Politics: Where Were the Elders?", *Hebraic Political Studies* 3:33, set. 2008. p. 225.

"Hillel, o Ancião, teve oitenta discípulos": Talmude babilônico, Baba Bathra 134a.

O conto de Elisha ben Abuya a cavalo, sua conversa com Rabi Meir e os bem-sucedidos esforços deste último, junto com Rabi Yohanan, para assegurar o repouso eterno de *Acher* são narrados no Talmude babilônico, Hagigah 15a e 15b.

O conto do Forno de Achnai, também conhecido como "Não no Céu": Talmude babilônico, Baba Metzi'a 59b.

A observação de Menachem Brinker sobre o Forno de Achnai foi feita numa carta aos autores.

"Diziam de Raban Yohanan ben Zakai": Talmude babilônico, Sukah 28a.

Conto da montanha-russa da autoria de Woody Allen: "A Little Louder, Please", *New Yorker*, 28 maio 1966.

"Quando ele se sentava e se ocupava da Torá": ibid.

"Uma pessoa tem ciúme de todo mundo, exceto de seu filho e de seu discípulo": Talmude babilônico, Sanhedrin 104b.

"Para gerações e gerações": A expressão está em Salmos 145. Na Bíblia prevalece mais a expressão "em cada geração e geração".

"Deixai as criancinhas": Lucas 18,16 e Mateus 19,14.

"O filho sábio alegra o pai": Provérbios 10,1. Variações podem ser encontradas em Provérbios 13,1 e 15,20.

Sobre Glikl de Hamelin e suas leituras, ver Natalie Zemon Davis, *Women on the Margins: Three Seventeenth-Century Lives* (Cambridge: Harvard University Press, 1995, capítulo 1, especialmente pp. 22-4).

Não existe *sancta simplicitas* para os judeus: Muitos séculos depois, alguns contos hassídicos transmitiam um encantamento com o Jovem Tolo amado por Deus. Este nunca se tornou, nem poderia ter se tornado, um modelo pedagógico.

"E quando amanhã o teu filho te perguntar": Êxodo 13,14.

Aventurar-se mais e mais profundamente no pomar: o famoso conto dos quatro sábios que "penetraram no pomar" do conhecimento profundo, do qual apenas um deles voltou incólume, é narrado na Tosefta, Seder Moed, Hagigah 2:2 e no Talmude de Jerusalém, Seder Moed, Hagigah, 9a.

Interlocutores pai-e-filha na história do conhecimento judaico: Shmuel e Osnat Barazani, Rashi e suas três filhas e Moses e Dorothea Mendelssohn vêm à mente. Mães também conduziram conversas intergeracionais: Glikl de Hamelin é um reluctante exemplo.

Primeiros livros modernos para mulheres: *Tzena Urena*, de Jacob Ashkenazi, de 1616, é o exemplo mais conhecido, mas alguns textos bíblicos podem ser vistos como predecessores, inclusive "A mulher talentosa" em Provérbios 31, e possivelmente, de modo bastante diferente, o Cântico dos Cânticos; mais adiante voltaremos a eles.

Freud sobre a neurose judaica: Citado em Sander L. Gilman, *Freud, Race, and Gender* (Princeton: Princeton University Press, 1993. p. 110).

Traços judaicos tornando-se emblemas da modernidade universal: para uma leitura cuidadosa e magistral deste tema, ver Yuri Slezkine, *The Jewish Century* (Princeton: Princeton University Press, 2004).

Judeus falam muito: Verbos significando "falar" ou "dizer" aparecem na Bíblia mais de 6 mil vezes, tornando o pronunciamento de palavras o tipo mais comum de atividade. Em comparação, o verbo "fazer" aparece menos de 2 mil vezes.

Numa conversa fascinante, Susannah Heschel sugeriu à historiadora entre nós que o monólogo de Shylock (*O mercador de Veneza*, ato III, cena I) era destinado a despertar desprezo na plateia, devido à natureza corpórea vulgar das alegações do judeu. Este pode muito bem ter sido o caso, mas o questionamento essencialmente judaico de Shylock, teimoso, eloquente e contra todas as chances, ainda transparece através do alegado ridículo antissemita.

"Dentro de cada judeu havia tantos oradores!": Philip Roth, *Shylock Operation* (Nova York: Simon and Schuster, 1993. p. 335) [Ed. bras.: *Operação Shylock*. Trad. de Marcos Santarrita. (São Paulo: Companhia das Letras, 1994)]. Cf. Josh Cohen, "Roth's Doubles", em *The Cambridge Companion to Philip Roth*. Org. de Timothy Parris (Cambridge: Cambridge University Press, 2007. p. 85).

"O passado é uma terra estrangeira": L. P. Hartley, *The Go-Between* (Londres: H. Hamilton, 1953. p. 1); David Lowenthal, *The Past Is a Foreign Country* (Cambridge: Cambridge University Press, 1985).

2. MULHERES VOCAIS [pp. 71-117]

"Ashir le-Shlomo", atribuindo o Cântico dos Cânticos a uma voz feminina: S. D. Goitein, "The Song of Songs: A Female Composition", em *A Feminist Companion to the Song of Songs*. Org. de Athalya Brenner (Sheffield: Sheffield Academic Press, 1993. pp. 58-66). Goiten cita Yaakov Nahum Epstein como expoente anterior da mesma ideia. Outro predecessor possível é o pastor alemão G. Kuhn, *Erklärung des Hohen Liedes* (Leipzig: Deichert, 1926).

"É grosseiro para uma mulher sempre sair de casa" é de Maimônides, *Mishneh Torah*, capítulo 13, Halachá 11.

A Bíblia está repleta de mulheres que saem, que se manifestam — ver, entre outros lugares, Êxodo 15,20-1, Juízes 5,1, 1 Samuel 2,1-10, 1 Samuel 18,6-7 e Crônicas 25,5-6. Alguns estudiosos duvidam agora que a palavra *machol*, associada com Miriam e a mulheres de Israel na nossa citação do Êxodo, de fato significasse "dança" e sugerem que se referia a um instrumento musical. Esta alternativa não parece invalidar o sentido de festejos femininos externos. Em numerosos relatos bíblicos de festividades públicas, mulheres são ligadas a *machol*. Ver também Jeremias 31,3.12.

"Cantores e cantoras" aparece em 2 Samuel 19,36, Eclesiastes 2,8; Esdras 2,65 e Neemias 7,67.

O Velho Barzilai não consegue mais ouvir o canto das mulheres em 2 Samuel 19,36.

Os comentários de Altschuler, *Metzudat David*, e sua contraparte *Metzudat Tzion* foram impressos em Livorno em 1780-2. "Cantores e cantoras" está em Neemias 7,67. Ver também "Altschuler" em <jewishencyclopedia.com>.

"Davi segundo Dita" é de Amós Oz, *O mesmo mar*, tradução do hebraico de Milton Lando (São Paulo: Companhia das Letras, 2001).

O conto talmúdico de Davi, Abisag e Betsabeia está no Talmude babilônico, Sanhedrin 22a.

Sobre Micol, ver 1 Samuel 18,20-8 e 19,11-17, 2 Samuel 6,20-3. Sobre Abigail, ver 1 Samuel 25,2-42. Sobre Betsabeia, ver 2 Samuel 11,2-27 e 12,1-25, 1 Reis 1,11-31 e 2,13-22, e ela chega a ter uma menção furtiva em Salmos 51,2. Não deixe essa longa lista de citações desanimá-lo. As histórias são deliciosas. Há sexo, mas contrabalançado, como deve ser, por intriga política, drama familiar e uma boa gama de emoções humanas.

A história de Davi, Micol e a dança obscena diante da Arca da Aliança estão em 2 Samuel 6,20-3. Pode parecer cruel, e certamente não judaico, que Deus tenha punido Micol com a impossibilidade de ter filhos. A própria Bíblia parece ambivalente quanto a isso: em 2 Samuel 21,8, Micol é mencionada com não menos de cinco filhos homens, embora não de Davi. Quer saber como os sábios da Mishná explicaram e resolveram o problema dessa discrepância? Consulte a Tosefta, Sotá, 11:9.

"Não havia em toda a terra mulheres mais belas que as filhas de Jó": Jó 42,15.

"O vento as escreveu em seu vestido": Divrei Iyov 48:1-3, citado por Rachel Elior, "Alternative Haggadah: Four Daughters Worth Mentioning at Pesach", *Haaretz*, 7 abr. 2009, <http:www.haaretz.com/alternative-haggadah-four--daughters-worth-mentioning-at-pesach-1.273731>.

Platão fala da mãe de Sócrates, Faenarete, em seu diálogo *Teeteto*.

Débora, Jael e Sísera interpretam seu sangrento drama em Juízes 4. Atalia, Josaba e o bebê Joás estão em 2 Reis 11,1-2.

Miriam, Débora e Ana cantam suas canções de louvor em Êxodo 15,20-1, Juízes 5 e 1 Samuel 2,1-10, respectivamente.

A história de Tamar está em Gênesis 38.

A primeira Débora, a ama de leite de Rebeca, faz sua rápida aparição em Gênesis 35,8. Ali, ela morre e é enterrada em Bet El. Porém, mesmo sendo apenas uma ama de leite, a Bíblia julgou por bem nos dar o seu nome, mencionar sua reivindicação de ser lembrada, dizer-nos o carvalho sob o qual está enterrada e o nome da árvore, dado naquela ocasião talvez pelo próprio Jacó, "o Carvalho do Pranto". Em um versículo, relatando sua morte, a Bíblia ressuscita para nós aquela mulher humilde, dando seu nome e título, e honrando-a.

Para uma outra visão da mulher bíblica versus a grega antiga, ver Matthew B. Schwartz e Kalman J. Kaplan, *The Fruit of Her Hands: A Psychology of Biblical Women* (Grand Rapids, Michigan: Eerdmans, 2007), capítulo 1.

A terrível história da mãe e seus sete filhos, que consideramos atípica, é não obstante repetida e elogiada em muitas fontes judaicas, entre elas 2 Macabeus 7, 4 Macabeus e no Talmude babilônico, Gittin 57:72. O nome Ana aparece em algumas fontes posteriores.

A mãe de amor exagerado de Itzik Manger está no poema *Oyfn Veg Shteyt a Boim* [No caminho há uma árvore], provavelmente escrito na década de 1930. Com a linda e comovente melodia, atribuída a P. Laskovsky e possivelmente baseada na música folclórica romena, tornou-se uma emblemática canção ídiche. Pode-se encontrá-la no YouTube em versões em hebraico e inglês, uma espécie de lápide para a cultura ídiche. Mas aí há uma ironia à espreita: a fonte e a inspiração de Manger foi uma canção sionista dos primeiros tempos, cantada pelos pioneiros da Europa Oriental do século XIX de *chibat tzion*, e sua árvore encontra-se na estrada para a Terra de Israel. Relações entre idichismo e sionismo foram frequentemente tensionadas e distanciadas, mesmo hoje, tanto em círculos acadêmicos como ultraortodoxos. *Oyfn Veg Shteyt a Boim* é um delicado lembrete da complicada relação mãe-filho entre a cultura ídiche e os fundadores do moderno Estado de Israel.

Ana traz Samuel a Shiloh com comida e vinho, e o visita anualmente com um casaquinho novo, em 1 Samuel 1,24 e 2,19. Elcana é atencioso com sua esposa, dentro de limites, mas mesmo assim de maneira impressionante, em 1 Samuel 1,8.

As palavras de Rute a Noemi, "Para onde fores", podem ser lidas em Rute 1,16.

A Mulher Talentosa, que "abre a boca com sabedoria", está em Provérbios 31,10-31.

Hulda, a Profetisa, fala em 2 Reis 22,14 e em 2 Crônicas 34,22. A Mulher

Sábia de Técua está em 2 Samuel 14. A Necromante de Endor está em 1 Samuel 28. A Grande Mulher de Sunam está em 2 Reis 4,8-37.

Os versos de Bertolt Brecht, "Tantas histórias./ Tantas questões" são de seu poema "Perguntas de um trabalhador que lê", cujo título original é "Fragen eines lesenden Arbeiters" (1935). Nossa referência está em Bertolt Brecht, *Poems, 1913--1956*, traduzido para o inglês por M. Hamburger (Nova York: Methuen, 1976). O poema começa: "Quem construiu Tebas das sete portas? Nos livros encontrarás nomes de reis. Arrastaram eles os blocos de pedra?".

Eclesiastes alega "descobrir que a mulher é mais amarga que a morte", e o restante em 7,26, 28. Independentemente disto, o livro é soberbo.

Rabi Akiva e sua esposa: história recolhida de diversas fontes. Ver Talmude babilônico, Ketubot 62b e Nedarim 50a; Talmude de Jerusalém, Shabat 34a; e Avot d'Rabi Nathan, versão A, capítulo 6; versão B, capítulo 12. Esta última nomeia Raquel.

Os *tanaim* não nomeados, junto com Rabi Eliezer e Rabi Eleazar, tornam--se misóginos na Mishná, Avot, 1:5; ibid., Sotah 3:4; e Talmude de Jerusalém, Sotah 3, respectivamente.

A questionável citação de Flávio Josefo da Torá está em *Contra Apionem* (circa 96-100 EC), 2:25.

A alegação de ben Azai de que "um homem deve ensinar a Torá a sua filha" é contradita por Rabi Eliezer na Mishná, Avot 1:5. "Deus deu às mulheres mais compreensão que aos homens" está no Talmude babilônico, Nidah 45b.

"E os ensinarás a teus filhos" ou "tuas crianças" vem de Deuteronômio 13,8.

A modesta mãe de sábios, Kimchit, está no Talmude de Jerusalém, Yoma 5a, Megila 14a e Horayot 16b, e no Talmude babilônico, Yoma 47a.

Ima Shalom nos Portões dos Sentimentos Feridos: Talmude babilônico, Baba Metzi'a 59b.

A precoce Yalta fez comentários sagazes e realizou feitos memoráveis no Talmude babilônico, Hulin 109a, Brachot 51b, Beitza 25b e Gittin 67b.

Quanto a Bruria, ver Talmude babilônico, Brachot 10a e Eiruvin 53b-54a, onde aparece a anedota de Lod. "Bem Dito Bruria" é da Tosefta, Kelim, Baba Metzi'a 1:3.

"Dez medidas de fala desceram ao mundo", segundo o Talmude babilônico, Kidushin 49b.

Rachel Elior discute a discriminação das mulheres judias em seu ensaio "Like Sophia and Marcelle and Lizzie", em *Dybbuks and Jewish Women in Social History, Mysticism, and Folklore* (Nova York: Urim, 2008).

Sobre o status e instrução ascendentes das mulheres judias em várias diásporas durante a Idade Média, ver especialmente Avraham Grossman, *Pious and Rebellious: Jewish Women in Medieval Europe*. Trad. para o inglês de Jonathan Chipman (Waltham, Mass.: Brandeis University Press, 2004), capítulos 7-8 e 13.

"Lembrar-se-á seu amor de sua corça graciosa": para a tradução em inglês do poema, ver *The Dream of the Poem: Hebrew Poetry from Muslim and Christian Spain, 950-1492*. Trad. e org. de Peter Cole (Princeton: Princeton University Press, 2007. pp. 27, 263-5); por sua especialíssima história, ver Adina Hoffman e Peter Cole, *Sacred Trash: The Lost and Found World of the Cairo Geniza* (Nova York: Schocken, 2011. p. 179 e ss.). Ezra Fleischer apresentou sua hipótese sobre a esposa de Dunash como a autora em seu artigo "On Dunash Ben Labrat, His Wife and Son" *Mechkarei Yerushalaim beSifrut Ivrit* 5 (1984), pp. 189-202.

As filhas de Rashi: paralelamente à trilogia homônima de novelas históricas escritas por Maggie Anton, ver seu artigo "Rashi and His Daughters", *Judaism: A Quarterly Journal of Jewish Life and Thought*, jan. 2005.

Dados sobre a instrução de mulheres judias são escassos para a Idade Média, melhores mas ainda largamente circunstanciais para o início da era moderna, e cada vez mais sólidos do século XVIII em diante. Tiramos proveito de estudos recentes e fascinantes a respeito da erudição feminina realizados por Rachel Elior, Elisheva Baumgarten, Avraham Grossman, Howard Tzvi Adelman, Natalie Zemon Davis, Deborah Hertz e Iris Parush. Esta lista de forma nenhuma é totalmente abrangente.

Iris Parush mapeia e analisa a grande ascensão da instrução feminina na era do Iluminismo judaico, a Haskalá, em *Reading Jewish Women: Marginality and Modernization in Nineteenth-Century Eastern European Jewish Society*. Trad. para o inglês de Saadya Sternberg (Waltham, Mass.: Brandeis University Press, 2004).

Isaac Bashevis Singer, em *In My Father's Court* (Nova York: Farrar, Straus and Giroux, 1966) [Ed. bras.: *No tribunal de meu pai* (São Paulo: Companhia das Letras, 2008)] fornece muitas ilustrações significativas sobre o nosso tema. Para as anedotas aqui mencionadas ver páginas 19, 44 e 141 do original em inglês.

O Presidente da Suprema Corte Haim Cohn conta sobre sua rabínica avó em sua belíssima autobiografia *Mavo ishi: autobiografia* (Or Yehuda: Kineret, Zmora Bitan, Dvir, 2005. pp. 82-5).

Sobre Joseph Klausner e suas colegas mulheres em Heidelberg, ver a palestra comemorativa de Fania Oz-Salzberger em 2003, "Heidelberg's Hope", <http: www.uni-heidelberg.de/press/news/2310salz.html>.

3. TEMPO E ATEMPORALIDADE [pp. 118-59]

Tehom* [Abismo], após sua primeira e impressionante menção em Gênesis 1,2, aparece mais três vezes no Gênesis, e também em Isaías, Ezequiel, Amós, Jonas, Habacuque, Salmos, Jó e Provérbios. Em muitos desses lugares Deus está "acima" ou "por cima" de Tehom. Os grandes monstros marinhos, em hebraico *Taninim*, são escolhidos em meio a outras criaturas vivas em Gênesis 1,21. Isaías e Salmos cantam loas a Deus como vitorioso sobre eles, e o pobre Jó reclama: "Acaso sou o Mar ou o Dragão, para que ponhas um guarda contra mim?" (Jó 7,12). De maneira semelhante, Deus caça e mata Leviatã, ou ao menos brinca com ele, em Isaías, Salmos e Jó.

Bashevis Singer procura por Leviatã no Vístula, *In My Father's Court*, p. 179.

Estudiosos modernos escavaram essas relíquias míticas como fósseis raros do solo monoteísta bíblico. Ver especialmente Yehezkel Kaufmann, *The Religion of Israel: From Its Beginning to the Babylonian Exile*, traduzido para o inglês e abreviado por Moshe Greenberg (Chicago: University of Chicago, 1960); Umberto Cassuto, *The Goddess Anath: Canaanite Epics on the Patriarchal Age*, traduzido para o inglês por Israel Abrahams (Jerusalém: Hebrew University Magnes Press, 1971). A historiadora entre nós recorda-se afetuosamente de um bom professor do ensino médio, Uri Lazovsky, que a apresentou ao mundo mágico dos monstros pré-bíblicos e da exegese pós-ortodoxa.

"Um povo que habita à parte" está em Números 23,9. Fazendo justiça a Balaão, as palavras são implicitamente de Deus, mas na sua boca. Além disso, há diferentes interpretações para o que a palavra *yitchashav*, aqui traduzida como "contado", pode significar.

O dia "sem dia e sem noite" aparece em Zacarias 14,7-8. Ele é citado num enigmático, noturno *piyut* (poema litúrgico judaico) intitulado "Karev Yom", do poeta Yanai, na Terra de Israel no século VI EC. Depois se tornou parte da Hagadá. A historiadora entre nós seguramente não foi a única criança judia aterrorizada e enfeitiçada pelo poema no encerramento do Seder de Pessach. Para ouvir versões modernas deste e de muitos outros *piyutim*, simplesmente vá para o admirável site <http://www.piyut.org.il/english/>.

"O que foi será" está em Eclesiastes 1,9.

A Bíblia tem mais tempos sagrados do que lugares sagrados: devemos esta percepção a Rachel Elior.

---

* A tradução habitual para este segundo versículo da Bíblia menciona *Tehom* como "abismo". No entanto, os autores argumentam aqui que se trata de uma entidade monstruosa de nome Tehom. Portanto, optamos por manter o nome no original. (N. T.)

"Faz sentido sim falar do futuro": Jurek Becker, *Jakob the Liar* [*Jakob, o mentiroso*], originalmente publicado em 1969. Trad. para o inglês de Leila Vennewitz (Londres: Plume 1999. p. 40).

Rachel Elior compara evidência literária com evidência arqueológica numa carta para os autores.

Noemi Shemer: "Esta fábula é mais viva que todas as pedras", em Dalia Karpel, "Ein la-zeh mashma'ut" [Isto não tem sentido], *Haaretz*, 29 out. 1999.

Sobre "o fim dos dias", ver Isaías 2,2 e Miqueias 4,1. Daniel também tem "o fim dos dias", 10,14, e "o fim dos prodígios", 12,6. Ezequiel 38,8 fala do "fim dos anos". Na maioria desses lugares é discutido o futuro de nações específicas, e não de indivíduos ou da humanidade como um todo. Nada mais a acrescentar: onde há nações há política, e há história.

O discurso do "fim dos dias" de Jacó começa em Gênesis 49,1.

"Cada qual debaixo de sua vinha e de sua figueira" aparece, com pequenas variações, em 1 Reis 5,5, 2 Reis 18,3, Isaías 36,15 e Miqueias 4,4.

Leviatã e o Boi Selvagem estão no cardápio pós-vida judaico desde o Talmude babilônico, Baba Bathra 75a, passando por muitas fontes e versões, mais recentemente no romance de Haim Be'er *El makom she-aruch hulech* (o título em inglês é *Back from Heavenly Lack* [De volta do vazio celestial], e esperamos que uma tradução inglesa saia em breve) (Jerusalém: Am Oved, 2011). No livro de Be'er um grande rabino ultraortodoxo, memória textual infinda, ciência moderna, política tibetana e um Boi Selvagem jogam intrincados jogos midráshicos.

A história de Isaac Leib Peretz, *Sholem Bayis* [Paz doméstica] pode ser lida em tradução para o inglês com o título "Domestic Happiness" [Felicidade doméstica], em *Stories and Pictures* de Isaac Leib Peretz. Trad. de Helena Frank (1906, reimpr. Ann Arbor: University of Michigan Library, 2009. pp. 21-8). Aqui damos a nossa própria tradução do hebraico.

Adin Steinsaltz acerca da sintaxe hebraica é citado, e a ideia expandida, por Shulamith Hareven, "Linguagem como Midrash", em seu livro *Mashiah o knesset* (Tel Aviv: Zmora Bitan, 1987).

"O lado de trás de um leão": Raban Yohanan no Talmude babilônico, Berachot 61a.

"Um jardim em Éden, no Oriente": Gênesis 2,8. Caim "habitou na terra de Nod, a leste de Éden": Gênesis 4,16.

Naphtali Herz Imber intitulou a *Hatikva* como *Tikvatenui em 1878*.

"Não há cedo ou tarde na Torá": Talmude de Jerusalém, Shekalim 25b e Sotah 37a; Talmude babilônico, Pessachim 6b.

A objeção de Nahmânides está em sua exegese a Números 9,1 e 15,1.

Baruch Spinoza abriu novos caminhos na crítica bíblica em seu *Tractatus Theologico-Politicus* (Amsterdã, 1670): "Determinei-me a examinar a Bíblia de novo em espírito cuidadoso, imparcial e irrestrito, sem fazer premissas concernentes a ela, sem atribuir-lhe doutrinas, as quais eu não considero claramente ali estabelecidas", escreveu ele no prefácio. Tradução para o inglês de Robert Harvey Monro Elwes (Londres: George Bell and Sons, 1891).

"Quando foi Jó?": Talmude de Jerusalém, Sotah 25b; Talmude babilônico, Nezikin 15a.

"Descendo para o jardim das nogueiras": Cântico dos Cânticos 6,11.

"Quatro entraram no pomar": Tosefta, Hagigah B2; Talmude de Jerusalém, Moed 9a.

Sobre Nahmânides, Moses de Léon, o Santo Ari e o modelo exegético em quatro estágios, *peshat, remez, drash* e *sod*, ver Gershom Scholem, *Major Trends in Jewish Mysticism* (1941; Nova York: Schoken, 1995), inclusive a apresentação de Robert Alter [Ed. bras.: *As grandes correntes da mística judaica* (3. ed., 1. reimpr.; São Paulo: Perspectiva, 2008)]; Amos Funkenstein, *Perceptions of Jewish History* (Berkeley: University of California Press, 1995).

O conto atemporal de Deus, Moisés e Akiva está no Talmude, Menachot 29b. O original está em aramaico. Para uma recente tradução e discussão em inglês, ver Christine Hayes, *The Emergence of Judaism: Classical Traditions in Contemporary Perspective* (Minneapolis: Fortress, 2010. pp. 107-8).

A resposta de Deus a Jó é de Jó 38,4-5 e 16-8.

Shmuel Yosef Agnon, "Dois eruditos que viviam na nossa cidade", está incluído no sexto volume de suas obras reunidas, *Samuch venir'eh* (Jerusalém: Schoken, 1979. pp. 5-53). O título remete ao Talmude babilônico, Sotah 49a.

A história de Deus, Moisés e Eliezer é do Midrash Tanhuma, Chukot 8. Mais uma vez somos gratos a Haim Be'er.

Mordecai Kaplan sobre o "monopólio nos primeiros anos da educação da criança" do judaísmo: *Judaism as a Civilization: Toward a Reconstruction of American-Jewish Life* (1934; reimpr. Filadélfia: Jewish Publication Society, 2010. p. 196).

Nossa minúscula amostra de protagonistas bíblicos na moderna literatura hebraica inclui Abraham Mapu, *The Love of Zion*. Trad. para o inglês de Joseph Marymount (1853; Jerusalém: Toby, 2006); A. B. Yehoshua, *A Journey to the End of the Millenium*. Trad. para o inglês de Nicholas de Lange (Nova York: Doubleday, 1999) [Ed. bras.: *Viagem ao fim do milênio*. Trad. Milton Lando (São Paulo: Companhia das Letras, 2001)]; e Zeruya Shalev, *Love Life: A Novel*. Trad. para o inglês de Dalya Bilu (Nova York: Grove, 2001).

Heine fala de Shylock, Jessica e da afinidade de judeus e alemães em seu ensaio "Shylock" (1938), em: Heinrich Heine, *Jewish Stories and Hebrew Melodies.* Trad. para o inglês de Frederic Ewen (Princeton: Markus Wiener, 1987). Ver especialmente p. 90.

Sobre a tragédia dos judeus alemães, ver especialmente duas obras extraordinárias: Frederic V. Grunfeld, *Prophets Without Honor: Background to Freud, Kafka, Einstein, and Their World* (Londres: Hutchinson, 1979); e Amos Elon, *The Pity of It All: A Portrait of the German-Jewish Epoch, 1743-1933* (Nova York: Picador, 2002).

Em 1942, o grande poeta e colunista político Nathan Alterman escreveu seu próprio "Lorelei", parafraseando com amargura alguns dos celebrados versos de Heine: "E a cidade queimou livros, e as chamas tremulavam/ enquanto Lorelei dançava num caixão de álcool/ [...] Ela jogou na pira o *Buch der Lieder* [de Heine]/ [...] E passando de carro por Heine, a srta. Lorelei/ Mirou, e atirou, e ele caiu contra a parede./ O poeta é mortal; perene o poema" (nossa tradução para o inglês). Nathan Alterman, *Hatur hashvi'i* [A sétima coluna], vol. 1 (Tel Aviv: Hakibutz Hameuchad, 1948).

Maimônides sobre a "escravização por reinos": citado do Talmude babilônico, Berachot 34b.

Sobre a importância de Sansão na moderna literatura hebraica/israelense, ver David Fishelov, *Machlefot Shimshon (Samson's Locks): The Transformations of the Biblical Samson* (Haifa e Tel Aviv: Haifa University Press e Zmora Bitan, 2000).

Sobre Abba Kovner, ver Dina Porat, *The Fall of a sparrow: The Life and Times of Abba Kovner*. Trad. para o inglês de Elizabeth Yuval (Palo Alto: Stanford University Press, 2009).

Ovelhas para o matadouro: Isaías 43,7, Jeremias 12,3, Salmos 44,23, e o Livro de Yossifon, Itália, século X EC.

Discurso sobre os judeus de Veneza, de Simha Luzzato (1638): o trecho citado aqui é a nossa tradução para o inglês da edição hebraica, *Ma'amar al uehudei Venezia.* Trad. de D. Lattes (Jerusalém: Mossad Bialik, 1951. pp. 122-23), citado por Haim Hillel Ben-Sasson, *Toldot am yisrael bi-yemey habeinayim* (Ganei Aviv: Dvir, 2002. p. 289). Somos gratos a Yosef Kaplan por esta referência, e por seu olho aguçado para as essências modernas nos primeiros pensadores judeus modernos.

"Planet Auschwitz" e sua diferente esfera de tempo: Ka-Tzetnik 135633, *Shivitti: A Vision.* 2. ed.. Trad. para o inglês de Eliyah Nike De-Nur e Lisa Herman (Nevada City, Calif.: Gateways, 1998. p. xvii).

Dan Pagis, "Katuv be-iparon ba-karon ha'chatum" [Escrito a lápis no vagão lacrado], *Gilgul* (Tel Aviv: Masada, 1970). A tradução para o inglês é nossa.

4. CADA PESSOA TEM UM NOME [pp. 160-200]

"Três nomes pelos quais a pessoa é chamada": Midrash Tanhuma, vayachel 1.
Para o poema de Amichai, "Os judeus", ver nota do capítulo 1. A tradução, mais uma vez, é nossa.

"Bendito seja o Criador de todo tipo de perfumes": Talmude babilônico, Berachot 43a-b.

Yosef Haim Brenner, "Não há judaísmo fora de nós mesmos", de *kol Kitvei Y. H. Brenner*, vol. 2 (Tel Aviv: Hakibutz Hameuchad, 1960), citado por Gideon Shimoni, "Ideological Perspectives", em *Zionism in Transition*, Moshe Davis (org.) (Nova York: Arno, 1980. p. 20).

"Os judeus têm prioridade sobre o judaísmo" de Miqueiash Yosef Berdyczewski está em seus ensaios reunidos, *Kol Ma'amarei Micha Yosef Ben Gurion* (Tel Aviv: Am Oved, 1952. p. 30).

Saadia Gaon escreveu que "a nação é apenas uma nação em virtude de suas Torás" em *The Book of Beliefs and Opinions*. Trad. para o inglês de Samuel Rosenblatt (New Haven: Yale University Press, 1948. p. 158). Cf. Alan Mittelman, "Judaism: Covenant, Pluralism, and Piety", em *The New Blackwell Companion to the Sociology of Religion*. Org. de Bryan S. Turner (Oxford: Wiley-Blackwell, 2010. p. 340).

A frase de Berdyczewski, "Nós éramos um povo e pensávamos assim e assim, mas não éramos um povo porque pensávamos assim e assim", é citada em Menachem Brinker, *Machshavot yisraeliot* [Pensamentos israelenses] (Jerusalém: Carmel, 2007. p. 41). Agradecemos ao professor Brinker por elucidação adicional.

Para histórias hassídicas, inclusive contos de "homens justos ocultos", folhear o clássico de Martin Buber *Tales of the Hassidim* (1947); nova edição apresentada por Chaim Potok (Nova York: Schoken, 1991). Sobre misticismo e igualitarismo hassídico, ver Rachel Elior, *The Mystical Origins of Hasidim* (Oxford: Littman Library of Jewish Civilization, 2006).

Ha'entziklopedia ha'ivrit, a *Enciclopédia Hebraica*, foi uma grande façanha de publicação acadêmica, incorporando artigos de alguns dos melhores eruditos do jovem Estado de Israel. Imaginada em 1944 — um momento assombroso e desolador — seus 32 volumes principais foram publicados entre 1948 e 1980. Seus editores e colaboradores incluíam Joseph Klausner, Ben-Zion Netanyahu, Nathan Rothenstreich, Yeshayahu Leibowitz e Yehoshua Prawer. Novos volumes foram editados por Nathan Shaham na década de 1990, e uma nova edição está atualmente sendo elaborada com, esperamos, uma versão on-line. A visionária editora do projeto foi Bracha Peli junto com seu filho Alexander Peli. A enciclopédia foi marcada pela sua visão de mundo judaica, universalista e humanista. Seu subtítulo é *Geral, Judaica e Israelense* [*eretz-israelit*].

A mudança do nome de Jacó no Jaboc, "Porque foste forte contra Deus e contra homens, e tu prevaleceste", está em Gênesis 32,29.

John Bunyan é citado de seu *Solomon's Temple Spiritualized* (1688; reimpr. Minneapolis: Curiosmith, 2010. p. 77).

As filhas de Salfaad estão em Números 27. Ver também Números 26,33 e 2 Crônicas 7,15. Elas "apresentaram-se diante de Moisés" em Números 27,2.

Os primeiros filósofos políticos modernos que leram uma teoria republicana em Israel antigo: ver Lea Campos Boralevi, "Classical Foundational Myths of European Republicanism: The Jewish Commonwealth", em *Republicanism: A Shared European Heritage*, vol. 1, *Republicanism and Constitutionalism in Early Modern Europe*. Org. de Martin van Gelderen e Quentin Skinner (Cambridge: Cambridge University Press, 2002); Fania Oz-Salzberger, "The Jewish Roots of the Modern Republic", *Azure* 13 (2002), pp. 88-132; Eric Nelson, *The Hebrew Republic: Jewish Sources and the Transformation of European Thought* (Cambridge: Harvard University Press, 2010).

Sobre John Selden ver Jason Rappaport, *Renaissance England's Chief Rabbi: John Selden* (Oxford: Oxford University Press, 2006).

Moisés julga o caso Salfaad em Números 27,6. "Casar-se-ão com quem lhes agradar" está em Números 36,6-7.

Os "judaísmos mortos" de Milton estão em seu ensaio "The Reason of Church Government", livro 2, capítulo 3. Ver John Milton, *A Complete Collection of the Historical, Political, and Miscellaneous Works* (Amsterdã, 1698. p. 231). Disponível on-line.

Sobre judaizar e judaizadores nos primórdios da Inglaterra moderna ver David Katz, *Philo-Semitism and the Readmission of the Jews to England 1603-1655* (Oxford: Clarendon, 1982).

O versículo de Macabeus é do livro 2, capítulo 2,21.

O judeu futurista de Zacarias está em Zacarias (naturalmente) 8,23.

Se você lê hebraico, consulte a Academia para a Língua Hebraica em <hebrew-academy.huji.ac.il>, bem como o estimulante <www.safa-ivrit.org>, para muitos dados fascinantes sobre a história, relações interlinguísticas e o redespertar da língua.

Bellow recorda sua conversa com Agnon numa palestra dada em 1988 e publicada como "A Jewish Writer in America", parte 1, *New York Review of Books*, 27 out. 2011.

O Corão tem o "Povo do Livro" em Surat Al-Baqarah 2:101, 2:105 e ss.; Surat Āli 'Imrān 3:19, 3:20 e ss.

O inglês de Emma Lazarus: a autora de "Songs of a Semite" e "An Epistle to the Hebrews", que não obstante era cética em relação ao culto na sinagoga e à preservação da língua hebraica, é certamente um elo na nossa linha de texto. Cf. Michael P. Kramer, "Beginnings and Ends: The Origins of Jewish-American Literary History", em *The Cambridge Companion to Jewish American Literature*. Org. de Michael P. Kramer e Hana Wirth-Nesher. (Cambridge: Cambridge University Press, 2003. pp. 25-8).

"Quem quer que salve uma alma" está na Mishná, Sanhedrin 4:5. O refraseado para "alma de Israel" está no Talmude babilônico, Sanhedrin 37a. Maimônides deixa Israel de fora em *Mishneh Torah*, Hilchot Sanhedrin 7.

"Porque o sangue é a alma (*nefesh*)*", Deuteronômio 12,23.

Rabi Jose sujeita até mesmo o Shabat a *pikuach nefesh* na Tosefta, Shabat 16,13. O Talmude babilônico distingue entre salvar judeus e não judeus no Shabat em Yoma 84b. Os rabinos debatem em detalhe diversos grupos hipotéticos de pessoas necessitadas de salvamento no Shabat: nove judeus e um estrangeiro, em contraposição a nove estrangeiros e um judeu. Não é o melhor momento do Talmude.

"Escolhe, pois, a vida" é de Deuteronômio 30,19.

"Doce é a luz, e agradável aos olhos é ver o sol", em Eclesiastes 11,7.

O homem "cunha muitas moedas em um molde" e Deus "estampou cada pessoa com o selo de Adão" na Mishná, Sanhedrin 4:5. Os maus perguntam: "O que este problema tem a ver conosco?" na mesma passagem.

"Esses foram os homens escolhidos na comunidade": Números 1,16-7.

"E o Senhor falou a Moisés dizendo" sobre a futura distribuição de terras em Números 26,53-4.

Flávio Josefo chamou Israel antigo de "república teocrática" em *As antiguidades dos judeus*, xiv.3.2.

"Façam da sua Torá sua arte": isto remete ao Talmude babilônico, Berachot 15b, porém muitos outros lugares no Talmude sugerem que os rabinos queriam que o povo estudasse a Torá além de, não em vez de, praticar seus ofícios.

Diferentes relatos dos amoraim são resumidos em Heshey Zelcer, *A Guide to the Jerusalem Talmud* (Boca Raton, Fla.: Universal, 2002. p. 56, nota 63).

O poema de Zelda "Le-khol ish yesh shem" foi publicado em seu livro *Al tirchak* (Tel Aviv: Hakibutz Hameuchad, 1974). Musicado por Hanan Yovel, é uma das canções mais queridas em Israel. Para uma perspectiva diferente do poema e do motivo que lhe dá o nome no contexto da secularidade judaica, ver

---

* A tradução aqui costuma ser "Porque o sangue é a vida", porém neste caso é fundamental manter o original "alma" (*nefesh*). (N. T.)

Yedidya Itzhaki, *The Uncovered Head: Jewish Culture, New Perspectives* (Lanham, Md.: University of Delaware Press, 2011, capítulo 1).

EPÍLOGO [pp. 201-15]

"Your children are not your children", de Khalil Gibran: "On Children", *The Prophet* (1923; Nova York: Knopf, 1995. p. 18 [Ed. bras.: *O Profeta* (diversas edições)].

Abraão e Gog discutem em Gênesis 18; Jó e Deus começam em Jó 3 e terminam em Jó 42.

As piadas do rei Salomão e do Velho Rabi vêm do inestimável *Sefer ha-bedicha veha-chidud* [Livro da piada e da esperteza] de Alter Druyanov, publicado pela primeira vez em Frankfurt am Main: Omanut, 1922. Nós usamos a edição (Tel Aviv: Dvir, 1963) disponibilizada pelo Projeto Ben-Yehuda, <http://ben-yehuda.org/droyanov>.

Sobre o humor judeu-hispânico: Alegria Bendelac, "Humor and Affectivity in Jaquetia, the Judeo-Spanish Language of Northern Morocco", *Humor* 1-2 (1988), pp. 177-86.

Ivan Karamazov alucina com o Grão-Inquisidor e Cristo em *Os Irmãos Karamazov* (1879-80) de Fiodor Dostoiévski, livro 5, capítulo 5. Não há menos de quatro traduções para o hebraico, a mais recente e brilhante de Nily Mirsky (Tel Aviv: Am Oved, 2011).

A retumbante censura de Abraão à justiça de Deus está em Gênesis 18,25.

Judaísmo é uma civilização: Amós Oz, *In the Land of Israel*. Trad. para o inglês de Maurie Goldberg-Bartura (Nova York: Harcourt, 1983. pp. 135-8).

Jorge Luis Borges toca a nossa nota final com "Pierre Menard, autor do *Quixote*". Apareceu pela primeira vez no jornal argentino *Sur* em maio de 1939, que acontece ser exatamente o mesmo mês e ano em que nasceu o escritor entre nós. A tradução para o inglês de James E. Irby está disponível em <http://www.coldbacon.com/writing/borges-quixote.html>. Os amantes de Borges não ficarão surpresos em saber que ele se traduz extremamente bem para o hebraico.

Heráclito, Crátilo e o rio: Platão, *Crátilo* 402a; Aristóteles, *Metafísica* 1010a13.

Glossário

AGGADA
Conto de fada, lenda, narrativa. O Talmude babilônico, especialmente, contém numerosas fábulas, anedotas e parábolas, além de lendas dos tempos míticos da pré-história, que não pertencem ao universo das leis religiosas da tradição oral.

AMORA'IM
Os "falantes" ou "intérpretes" da Mishná na parte final da Gemara. Fala-se em 3 mil eruditos que davam aulas na Yeshivá palestina em Tiberias, Caesarea e Sepphoris, assim como nas academias babilônicas de Nehardea, Sura ou Pumbedita, entre o século III e o século V, quando o Talmude foi concluído.
Ver também Tanna'im.

ASQUENAZ
De acordo com Gen.10,3 (consultar 1 Chr 1,6, Jer 51,27), nome do filho de Gomer e progenitor de um povo indogermânico que provavelmente se situava no planalto da Armênia. Desde a Era Talmúdica, Asquenaz foi

identificado com os velhos germânicos, em seguida com a região Centro-
-Norte da França, até chegar ao Norte e ao Leste da Europa. Os judeus
que ali viviam foram nomeados Asquenazes em oposição àqueles que
viviam no Oeste e no Sul da Europa.
Ver também Sefarade.

Exílio babilônico
Quando o rei da Babilônia Nabucodonosor II conquistou e destruiu Jerusalém no ano 586 a.C., os habitantes do reino judaico foram deportados para a Mesopotâmia. O exílio acabou em 538 a.C., mas uma parte considerável dos descendentes dos exilados não voltou ao "País dos pais".
Ver também Tempel.

Bar mitsvá / Bat mitsvá
O menino, aos treze anos, e a menina, já aos doze, assumem a maturidade religiosa, e assim se tornam "filho" e "filha", respectivamente, da ordem religiosa, ou seja, se comprometem a seguir essa ordem.

Cabala
Por vezes usado como conceito amplo para a mística judaica como um todo, o conceito designa em particular uma corrente mística que surgiu no século XII no Sul da França e na Espanha e se difundiu bem depressa, ainda que fosse ensinada apenas em círculos exclusivos. *Sefer ha-Sohar*, o livro do esplendor, é considerada sua principal obra, cuja autoria é atribuída a Moisés de León.

Chassídico, Chassídica/ Chassidismo
Na história da religião e do espírito judaico, diversos membros e representantes especialmente crentes, em sua maioria de orientação mística, foram ocasionalmente designados "ortodoxos", como os fariseus, que no tempo dos macabeus se desvencilhavam das influências da moda vigente do helenismo ou os "devotos de Asquenaz", ativos na Renânia na Alta

Idade Média, que propagavam uma vida judaica tão simples quanto necessariamente regrada, sem ambições intelectuais. No século XVIII, Israel ben Elieser Ba'al Schem Tov (1699-1760) deu vida ao Chassidismo na Bielorrússia, um movimento místico baseado nas doutrinas elementares da Cabala e responsável por popularizá-las, que perdura até hoje, abarcando diferentes correntes.

Cheder
Em hebraico, aposento, na designação de Asquenaz para a sala de aula onde os alunos estudavam – a partir do terceiro ano de vida e até ingressarem na escola Talmud-Torá ou na Yeshivá talmúdica – o alfabeto hebraico, depois textos e territórios litúrgicos, o Pentateuco, incluindo os comentários mais importantes, assim como partes do Talmude e da Midrash.

Chibat Zion
"Amor de Sião". Influenciado por numerosos pogroms da Rússia, em 1881 e 1882 formou-se no Império Czarista o movimento predecessor do sionismo de Herzl, o Chibat Zion, cujos membros se autointitulavam "Choveve Zion", amantes de Sião. Eles propagavam o retorno à Palestina e o reavivamento do hebraico como língua de uso diário. O primeiro grupo de emigrantes fundou em 1882 a comunidade "Rishon le-Zion" na costa do Mediterrâneo.

Chidush
É a nova interpretação de um texto da Torá ou do Talmude.

Chol / Kodesh
De modo geral, Chol representa o tempo profano, o dia de trabalho, em oposição às festas e festividades sagradas dedicadas a Deus, assim como ao Shabat. Chol ha-Mo'ed em especial designa o feriado parcial ao longo dos oito dias de atividade do Pessach e do Sucot (Festa das Cabanas),

durante os quais se deve trabalhar, mas com restrições. Esse não é o caso dos feriados totais, que são "sagrados" (kodesh).

Conversos
Ou *marranos* eram chamados os judeus espanhóis convertidos à força e batizados. Em hebraico eles eram designados "anusim", "forçados".

Chuzpa / Chuzpe
Descaramento, atrevimento. Na forma hebraica, a acentuação recai sobre o "a", na asquenazi-ídiche sobre o "u".

Gemara
Ver Talmude.

Goi, Gojim
No hebraico bíblico, a palavra é uma forma neutra para "povo" ou "nações". Com o passar do tempo transformou-se em designação para não judeus em geral.

Grande Assembleia
"Kneset ha-gedola". Segundo a tradição talmúdica e com referência ao Num 11,16, essa instância foi convocada por Moisés entre os "mais anciãos do povo" para debater questões jurídicas e punir delitos, e supostamente teve continuidade ininterrupta até a destruição do Segundo Templo. Historicamente acessível e em vista das autorizações, o grêmio é definido durante o reinado Asmoneu (140-37 a. C.): então nomeado synedrium (tribunal), era o mais alto serviço de julgamento e administração, que além disso decretava ou interpretava leis. Era composto por 71 membros.

Haggada
Ver Pessach.

Halacha
É o conceito geral para a parte normativa da "tradição oral" e base para a prática religiosa ou, tomando o significado real da palavra, base para as "transformações" da vida.

Haskala
Conceito hebraico para o Iluminismo judaico, a partir do século XVIII.

Hawdala, Hawdole
Cerimônia caseira no fim do Shabat (sábado à noite), que faz um "corte" entre o feriado semanal e o começo da semana de trabalho.

Jeschiwa
Academia dos rabinos na Era Talmúdica, mais tarde casa de aprendizado anexa ou vizinha à sinagoga, escola superior, destinada sobretudo a futuros rabinos.

Ídiche
Na mais antiga literatura, consta também a designação "taitsch" (alemão) para a língua dos asquenazes, que praticamente não se diferencia, na Baixa Idade Média e na Alta Idade Média, da literatura e da linguagem coloquial do Alto Alemão Médio, o que se pode ver em certos termos hebraicos e aramaicos. Durante a fuga dos pogroms entre o século XII e o fim do século XV, os judeus da Europa Ocidental levam seu idioma junto com eles para a Europa Oriental, idioma que acolherá então palavras e expressões idiomáticas eslavas regionais e diferentes entre si. Com o começo da Haskala, o ídiche cai em descrédito como o idioma das massas atrasadas e incultas, mas viverá com o fôlego do nacionalismo judaico incipiente no Leste Europeu do século XIX um verdadeiro Renascimento: com as obras de Mendele Moicher Sforim, Jitzchok Leib Perez e Scholem Alechem, começa a florescer o ídiche moderno como língua literária, que permanecerá a mais significativa entre todas as línguas "judaicas" até o

assassinato dos judeus da Europa Oriental durante a Shoah. O ídiche é escrito em algarismos hebraicos da direita para a esquerda — como o ladino, o hebraico-persa ou o árabe.
Ver também Ladino.

Kashrut
Listagem geral dos alimentos que podem ser consumidos, em especial pratos que levam carne, e instruções para sua preparação. Ver kosher.

Kosher / trefe / parve
A Halacha divide os alimentos (assim como alguns tecidos e misturas têxteis) entre kosher: adequado, portanto permitido; trefe (ao pé da letra: rasgado): não permitido; e parve, alimentos mais "neutros" como frutas e legumes. Além dos pratos em si, também seu preparo é importante: o supremo mandamento é a separação estrita entre pratos que levam leite e pratos que levam carne. Fundamentalmente proibido é o consumo de sangue. Determinações específicas valem para o Pessach: antes da festividade, tudo o que é "acidificado" como pão e pratos conservados ou fermentados em vinagre precisa ser retirado da casa, e se possível apenas a louça reservada à festividade deve ser usada.

Ladino
Judeu-espanhol designa a antiga língua espanhola-castelhana, que os sefaradim trouxeram com eles depois de sua expulsão da Espanha em 1492 e enriqueceram, cada um conforme sua nova pátria, com termos árabes, turcos, búlgaros ou gregos.

Maggid
Pregador, pastor, narrador, e como tal, relacionado linguisticamente à Aggada e à Haggada. Enquanto o rabino interpretava e pregava textos de nível altamente erudito, o Maggid encontrava parábolas populares, ane-

dotas e instruções da filosofia moral. Especialmente em comunidades chassídicas, os Maggidim gozavam de grande popularidade.

MAME-LOSHN
Designação ídiche-hebraica do ídiche como língua materna (hebr. Lashon: língua). Ver Ídiche.

MASKIL, MASKILIM
Iluminista, adepto da Haskala

MELAMED
Professor dos pequenos no Cheder.

MEZUZÁ
De acordo com Ex 12,7 e 22; 21,6; Dtn 6,9; 11,20 e outros, pequena cápsula compulsória, com uma tira de pergaminho, na qual estão inscritos os versículos Dtn 6,4-9 e 11,13-21; ela deve ser afixada no batente direito (olhando de dentro para fora) de uma casa ou apartamento judaico.

MIDRASH
Interpretação dos escritos bíblicos, Homilia.

MISHNÁ
Ver Talmude.

MITNAGED, MITNAGDIM
Opositor do Chassidismo.

MIZWA, MIZWOT
A Halacha possui 613 determinações vinculativas que regram a vida cotidiana: 365 proibições, 248 mandamentos. Em um sentido amplo, entende-se por "Mizwa" uma boa ação, uma obra do amor ao próximo.

O Decálogo, os Dez Mandamentos de Moisés, deve ser compreendido segundo a tradição judaica como conjunto de princípios éticos fundadores e se chama consequentemente "aseret ha-divrot", dez sentenças ou máximas.

Tradição oral/ escrita

A tradição judaica entende como tradição escrita a Torá, dada por Deus e registrada por Moisés, também chamada de Pentateuco. Aos seus pés está a tradição oral, as interpretações e precisões rabínicas, que não foram incluídas nos dois Talmudim. Ver Torá, Talmude.

Pessach

A páscoa judaica celebra a milagrosa partida do Egito e o fim do trabalho escravo que ali se prestou. Como todas as festividades e todos os feriados, também essa festividade começa na noite da véspera: ao longo do "Seder" (literalmente: ordenação), a cerimônia litúrgica com a família reunida ao redor da mesa de festa, a Haggada é recitada e reconstrói-se o relato da opressão sofrida no estrangeiro e a promessa no futuro próximo, de uma vida livre num país próprio.

Rabi, Rabbinen e Rabino

Originalmente, o tratamento formal e honroso "meu professor" ou "meu senhor" (isto é, "nosso professor": Rabban), era dirigido a alguém socialmente superior, de preferência ao erudito, um pouco como o que chamamos de "magistério". Mais tarde, a partir da Era Talmúdica, o tratamento passou a ser usado exclusivamente para eruditos instruídos, isto é, com diplomas. Eram designados "Rabbinen" aqueles sábios talmúdicos que davam aulas ou participavam de discussões acadêmicas nas antigas Jeschiwot na Babilônia ou na Palestina. Rabino é o teólogo autorizado que dirige uma comunidade, também ligada a uma casa de aprendizado, administra sua parte organizacional e conduz adequadamente a Halacha.

Rav, rebe e reb
"Rav" é a forma hebraica para "rabino", habitual enquanto título e forma de tratamento nas comunidades asquenazes, sefardim e oriental-árabes. O "rebe" é o chefe de uma comunidade chassídica, que além disso, enquanto totalmente devoto, enquanto "tsadic" (justo) desfruta da mais alta adoração entre seus adeptos. Ao menos nos primórdios do chassidismo, não era raro que o rebe disputasse com um rav — possivelmente não chassídico — a autoridade na comunidade, desde que não se deparasse logo com diversos tsadic que defendessem correntes totalmente opostas dentro do chassidismo. Tradicionalmente, em Asquenaz um homem judeu adulto era chamado de reb e e em seguida pelo seu nome próprio (reb Jankev, reb Avrum). Se o nome próprio não fosse conhecido, a saudação era um lacônico e amigável "reb Jid".

Shechina
A presença de Deus no mundo, em sua imagem feminina.

Shoah
Significa catástrofe, decadência, e serve preferencialmente para designar — ao menos desde o filme homônimo de Claude Lanzmann — o extermínio dos judeus europeus sob o domínio nazi. O conceito greco-latino "holocausto" é emprestado da teologia americana protestante e designa, na realidade, a "vítima totalmente queimada", que era sacrificada no templo de Jerusalém.

Seder
Ver Pessach.

Sefarade
Nome de uma região mencionada em Obadias 20, onde viviam "banidos de Jerusalém". Na literatura pós-bíblica e talmúdica, o conceito passa a designar a Península Ibérica e especialmente a Espanha. Depois da ex-

pulsão dos judeus da Espanha em 1492, os sefardim fixaram residência no Norte da África e nas terras do Mediterrâneo, onde as comunidades do Império Otomano eram cultural e economicamente significativas. Ver também Ladino.

Talmude

O conceito é derivado do verbo hebraico lamad (aprender) e designa a totalidade da tradição oral: as discussões dos rabinos entre o século II e o século V são compiladas em duas redações, em Israel e na Babilônia. O Talmude de Jerusalém é mais curto, o babilônico muito mais extenso. Ambos são divididos em seis "ordens", que por sua vez são divididas em tratados individuais: 1. Determinações agrícolas; 2. Festividades, feriados; 3. Direito conjugal e de família; 4. Direito civil e penal; 5. Sacrifício; 6. Higiene, leis de pureza rituais. O debate por vezes extraordinariamente controverso e não raro infrutífero desses temas é reunido em ambos os Talmudes — mas por certo não se esgota ali —, em duas partes: a Mishná (por alto: a tradição que deve sempre ser repetida) contém os diálogos conduzidos pelos rabinos (Tanna'im) em hebraico na Palestina, que foram redigidos no século II, seguindo-se a Gemara (os debates conclusivos da Halacha, que tecem comentários à Mishná) dos sábios tardios (Amora'im) das academias babilônicas de Nehardea, Sura e Pumbedita, em aramaico.

Tanach, TeNaKh

Abreviação para a Bíblia hebraica, construída a partir das letras iniciais de Torá (Pentateuco), Nevi'im (Profetas) e Ketuvim (escritos poéticos e históricos).

Tanna'im

Designação para os quase trezentos "estudiosos" da Mishná na Palestina e na Babilônia. O período de seu reinado termina no ano 220. A eles seguem-se os Amora'im.

Templo

O Primeiro Templo foi erguido no Morro do Templo de Jerusalém sob o domínio do Rei Salomão entre 971 e 931 a. C — até então, o Deus judaico andava "em tenda e tabernáculo" (2 Sam 7,6). Depois do saqueamento do reino judaico sob o monarca Nabucodonosor II, em 587 o templo foi destruído. Depois do retorno do cativeiro babilônico, no ano de 538 começou a construção do Segundo Templo, no mesmo lugar, sob o principado de Zorobabel, mas ele não ostentava, segundo o profeta Ageu, "praticamente nada" se comparado com o primeiro e esplendoroso santuário. O rei Herodes, o Grande amortizou em grande parte o Segundo Templo, nos anos 20-19, e o substituiu por uma nova construção espetacularmente e suntuosamente equipada. Essa foi incinerada no ano 70, depois da virada para a Era Cristã — segundo a tradição, no dia 9 Av, que até hoje é celebrado como dia de festividade e luto.

Terra de Israel (erez jisra'el)

Designação para a Israel bíblica, e na Idade Moderna a região antes da fundação do Estado de Israel (medinat jisra'el), em 1948.

Torá

Significa "instrução" e é a designação para os cinco livros de Moisés. Essa primeira e mais importante parte da Bíblia hebraica é dividida em 54 partes, que são recitadas na sinagoga no Shabat.

Sião

Originalmente, nome de uma das colunas sobre as quais se estabeleceu Jerusalém. Mais tarde, a designação se estendeu para o vizinho Monte do Templo com seu santuário, para finalmente dizer respeito a toda Jerusalém, e, mais tarde ainda, à totalidade da Terra Sagrada.

Índice onomástico

Aarão, 23, 192
Aba Aricha, 142-3
Abel, 45, 132, 159
Abidã, 192
Abigail, 80, 221
Abisag, 72-3, 75, 79, 82, 101, 136, 221
Abraão, 15, 26, 34, 46, 55, 59, 91, 130, 132, 134, 136, 193, 204, 209-10, 232
Abravanel, Benvenida, 113
Absalão, 100
Achish, rei de Gath, 62
Adão, 21, 30, 45, 59, 85, 132, 158-9, 191, 192, 200, 231
Adelman, Howard Tzvi, 224
Agnon, Shmuel Yosef, 20, 30, 47-8, 95, 141-2, 164, 181, 185, 206, 227, 230
Ahad Ha'am (Asher Ginzberg), 25, 69, 164
Aiezer, 192
Aíra, 192
Akiva, 23, 66-7, 69, 104, 107, 137, 139-43, 145, 147-8, 223, 227

Aleichem, Sholem (Solomon Naumovich Rabinovich), 187-8, 206-7, 237
Alharizi, Yehuda, 183
Alkabetz, Shlomo, 149
Allen, Woody, 35, 62, 94-5, 207, 219
Alter, Robert, 227
Alterman, Nathan, 228
Altschuler, David, 77, 221
Altschuler, Hillel Yechiel, 77, 221
Amichai, Yehuda, 16, 18, 161-3, 218, 229
Aminadab, 192, 194
Amisadai, 192
Amiud, 192
Amnon, 149
Amós, 63, 69, 101, 169, 225
Ana, 75, 88-90, 95-100, 106, 222
Anrão, 86, 99-100
Anton, Maggie, 224
Arendt, Hannah, 25, 59, 116
Ari, o Santo *ver* Luria, Isaac
Aristóteles, 169, 232

Ascarelli, Devorá, 113
Aser, 193, 195
Ashkenazi, Jacob ben Isaac, 42, 219
Atalia, rainha, 87, 222
Auerbach, Erich, 218
Avnery, Uri, 155

Balaão, 120, 225
Barazani, Osnat, 113-4, 214, 219
Barazani, Shmuel, 219
Barzilai, 76, 221
Baumgarten, Elisheva, 224
Be'er, Haim, 12, 129, 139, 226-7
Becker, Jurek, 123, 226
Bellow, Saul, 152, 181, 230
Ben Abuya, Elisha (Acher), 29-31, 137, 219
Ben Azai, 137
Ben Ezekiel, Yehuda, 142-3
Ben Honi, Jose, 37
Ben Horkanos, Eliezer *ver* Eliezer ben Horkanos
Ben Isaac Ashkenazi, Jacob *ver* Ashkenazi, Jacob ben Isaac
Ben Labrat, Dunash, 112, 182, 224
Ben Netanyahu, Yehudi, 176
Ben Uziel, Jonathan, 36
Ben Zakai, Yohanan, 15, 23, 34-6, 44, 219, 226
Ben Zoma, 137
Bendelac, Alegria, 232
Ben-Gurion, David, 154, 229
Benjamin, Walter, 152
Ben-Sasson, Haim Hillel, 228
Ben-Yehuda, Eliezer, 183, 185
Berdyczewski, Miqueiash (Micah) Yosef, 164-6, 170, 179, 199, 229
Bernhardt, Sarah, 113
Betsabeia, 221

Biale, David, 217
Bialik, Haim Nahman, 47, 53, 93-5, 164, 185
Boaz, 13, 195
Borges, Jorge Luis, 213, 232
Boruch-Dovid, 119
Brecht, Bertolt, 101, 223
Brenner, Athalya, 220
Brenner, Yosef Haim, 163-4, 166, 179, 185, 199, 229
Brinker, Menachem, 12, 34, 165, 219, 229
Brooks, Mel, 58
Bruria, 108-9, 116, 223
Buber, Martin, 25, 229
Bunyan, John, 171-2, 230

Caim, 45, 132, 159, 226
Campos Boralevi, Lea, 230
Cassuto, Umberto (Moshe David), 120, 225
Cervantes, Miguel de, 213-4
Chabon, Michael, 144
Chagall, Marc, 53
Chaucer, Geoffrey, 146
Cohen, Hermann, 25
Cohn, Haim, 115, 224
Cohn, Joseph, 115
Cohn, Miriam, 115
Cole, Peter, 224
Crátilo, 214, 232

Daniel, 127-8, 187, 201-2, 226
Davi, rei, 62, 73, 75-6, 78-82, 88, 95, 101, 124-5, 134, 156, 169, 221
Davis, Natalie Zemon, 219, 224
Dayan, Daniel, 149
De Léon, Moses, 137, 227, 234

De Nur (Feiner), Yechiel *ver* Ka-Tzetnik
Débora (ama-de-leite de Rebeca), 90, 103, 222
Débora (profetisa), 66-7, 69, 73, 75, 87-90, 103, 222
Derrida, Jacques, 25
Donne, John, 191, 199
Dostoiévski, Fiódor, 20, 208-9, 232
Dov-Ber, Yisrael, 94
Druyanov, Alter, 232
Dulcea de Worms, 112

Eban, Abba, 160
Éber, 87
Eclesiastes, 62, 103, 122-3, 190, 221, 223, 225, 231
Einstein, Albert, 25, 29, 121, 143, 228
Elcana, 95, 97-100, 222
Eleazar (sacerdote), 172
Eleazar (talmudista), 223
Eli (sacerdote), 23, 97
Eliab, 192
Elias, 33
Eliasaf, 192
Eliezer ben Horkanos, 32, 144-5, 147-8
Elior, Rachel, 12, 24, 109, 125, 217, 221, 223-6, 229
Elisama, 192
Eliseu, 101
Elisur, 192
Elon, Amos, 228
Enã, 192
Epstein, Isidore, 13
Epstein, Yaakov Nahum, 220
Esdras, 28, 65, 77, 176-7, 221
Ester, 39, 40, 83, 136, 176
Eva, 30, 45, 84-5, 132, 159, 192
Ezequiel, 130, 225-6

Fabyan, Robert, 178
Fadassur, 192
Faenarete, 87, 221
Fegiel, 192
Finkelstein, Israel, 124-5, 136, 218
Fishelov, David, 228
Flávio Josefo, 25, 104-5, 120, 182, 194, 223, 231
Fleischer, Ezra, 111, 224
Frankl, Viktor, 122
Franklin, Rosalind, 116
Freud, Sigmund, 25, 29, 57, 60, 62, 152, 160, 220, 228
Funkenstein, Amos, 227

Gabirol, Shlomo ibn, 149, 182
Gamaliel, 192
Gaon, Saadia, 39, 164, 229
Gedeão, 192
Gibran, Khalil, 202, 214, 232
Gilman, Sander L., 220
Ginzberg, Asher *ver* Ahad Ha'am
Glikl de Hamelin, 15, 41-2, 95, 113, 219
Goitein, Shelomo Dov, 220
Goldberg, Leah, 127
Golias, 75, 78
Grimm, Jacob, 146
Grimm, Wilhelm, 146
Grossman, Avraham, 223-4
Grossman, David, 155
Grunfeld, Frederic V., 228

Hagar, 87
Halevi, Yehuda, 149, 182
HaNassi, Yehuda, 69
Hareven, Shulamith, 131, 226
HaRomi, Immanuel *ver* Immanuel, o Romano

Hartley, L. P., 66, 220
Hegla *ver* Salfaad, cinco filhas de
Heine, Heinrich, 25, 150-2, 160, 181-2, 227-8
Heleni, 106
Helon, 192
Heráclito, 214, 232
Hertz, Deborah, 224
Herz, Henriette, 113
Herzl, Theodor, 156
Heschel, Abraham Joshua, 25
Heschel, Susannah, 12, 220
Hess, Moses, 61
Hillel, 23, 27-8, 37, 210, 219
Hinde Ester, 115
Hoffman, Adina, 224
Homero, 20, 56
Hulda, a Profetisa, 100, 102, 222

Ima Shalom, 107-8, 223
Imber, Naphtali Herz, 133, 226
Immanuel o Romano (Immanuel HaRomi), 149, 182
Isaac, 62
Isaías, 46, 61, 123-4, 126-8, 131, 205, 206, 214, 225-6, 228
Itzhaki, Yedidya, 232

Jabotinsky, Ze'ev, 155, 164
Jacó, 26, 67, 128, 136, 170-1, 176, 199, 222, 226, 230
Jael, 87, 222
Jemima, 83-4, 196, 197
Jeremiah (talmudista), 33
Jeremias, 30, 130, 176, 221, 228
Jesus Cristo, 25, 44, 81, 88, 208
Jezebel, 87
Jó, 55, 69, 83, 119, 135-6, 141, 196-7, 204, 210, 221, 225, 227, 232

João Evangelista, São, 124
Joás, 87, 222
Jocheved (filha de Rashi), 112
Joquebede (mãe de Moisés), 86, 96, 99
Josaba, 87, 222
Jose (talmudista), 28, 109, 134, 189, 231
Josefo *ver* Flávio Josefo
Joshua (talmudista), 28, 32-3
Josias, 124-5
Josué, 23, 26-7, 46, 173
Judá (Yehuda), 21, 88-9, 117, 176

Kafka, Franz, 152, 228
Kaplan, Kalman J., 222
Kaplan, Mordecai, 21, 25, 146, 218, 227
Kaplan, Yosef, 12, 228
Katz, David, 230
Ka-Tzetnik (Yechiel De Nur), 158, 228
Kaufmann, Yehezkel, 120, 225
Kéren-Hapuque, 83, 196
Kimchit, 107, 223
Klausner, Fania, 95
Klausner, Joseph, 95, 116, 185, 224, 229
Kook, Abraham Isaac, 66-7, 69, 169, 189
Kovner, Abba, 155, 228
Kramer, Michael P., 231
Kuhn, G., 220

Lakish, Shimon ben *ver* Resh Lakish
Laplace, Pierre-Simon, 65
Lasker-Schüler, Else, 152
Laskovsky, P., 222
Lazarus, Emma, 231
Lazovsky, Uri, 225
Lea, 85
Leibowitz, Yeshayahu, 25, 167-8, 211, 229

Levi, Primo, 58
Levinas, Emmanuel, 25
Licoricia de Winchester, 112
Lilite, 85
Lowenthal, David, 66, 220
Luria, Isaac (o Santo Ari), 61, 109, 138, 227
Luzzatto, Simha (Simone), 157

Maala ver Salfaad, cinco filhas de
Maimon, Solomon, 135
Maimônides, 25, 38, 74-5, 153, 169-70, 182, 188-9, 220, 228, 231
Malamud, Bernard, 58, 152
Malkin, Yaakov, 218
Manger, Itzik, 92, 222
Maomé, 207
Mapu, Abraham, 149, 227
Martha bat Boethus, 107
Marx, Groucho, 62
Marx, Harpo, 62
Marx, irmãos, 25
Marx, Karl, 25, 29
Meir (talmudista), 23, 30-1, 219
Meir, Golda, 207
Meitner, Lise, 116
Melca ver Salfaad, cinco filhas de
Mendelssohn, Moses, 135, 182, 219
Mendelssohn-Schlegel, Dorothea, 113, 219
Micol, 80-1, 103, 221
Milton, John, 173, 178, 230
Miqueias, 226
Miriam (filha de Rashi), 112
Miriam (irmã de Moisés), 73, 75, 77, 86-9, 96, 99, 102-3, 116, 221-2
Mirsky, Nily, 232
Mittelman, Alan, 229
Moisés, 23, 25-9, 34, 40, 46, 61, 67, 86-7, 96, 99, 103, 139-48, 172-4, 192-3, 196, 204, 206-7, 218, 227, 230-1, 236, 240, 243
Morpurgo, Rachel, 113

Naasson, 192
Nachman (talmudista), 33
Nahmânides (Moshe ben Nahman), 135-7, 226-7
Najara, Israel, 149
Nassi, Dona Grazia, 113
Natanael, 192
Nathan (talmudista), 223
Necromante de Endor, 223
Neemias, 65, 83, 167, 176, 221
Nehemiah (talmudista), 28
Nelson, Eric, 230
Netanyahu, Ben-Zion, 229
Neumann, Elsa, 116
Nietzsche, Friedrich, 163, 166-7
Noa ver Salfaad, cinco filhas de
Noé, 21, 197
Noemi, 99, 222
Nordau, Max, 166

Ocrã, 192
Oz, Amós, 79, 221, 232
Oz-Salzberger, Fania, 12, 224, 230

Pagis, Dan, 159, 228
Parush, Iris, 114, 224
Peli, Alexander, 229
Peli, Bracha, 229
Penina, 99
Peretz, Isaac Leib, 129, 226
Platão, 87, 221, 232
Porat, Dina, 228
Potifar, 87
Potok, Chaim, 229

Prawer, Yehoshua, 229
Proust, Marcel, 95
Pua, 86, 89

Quézia, 83, 196

Rabinovich, Solomon Naumovich *ver* Aleichem, Sholem
Rabinovitsch-Kempner, Lydia, 116
Rahab, 87
Rappaport, Jason, 12, 230
Raquel (esposa de Jacó), 85
Raquel (esposa de Akiva), 104, 223
Raquel (filha de Rashi), 112
Rashi (acrônimo de Rabi Shlomo Yitzhaki), 35, 77, 112, 134, 136, 219, 224
Rav *ver* Aba Aricha
Rebeca, 85, 90, 222
Resh Lakish, 28, 136
Reuel, 192
Roboão, 66-7, 69
Rosenzweig, Franz, 25
Roskies, David, 12, 217
Roth, Philip, 58, 60, 206, 220
Rothenstreich, Nathan, 229
Rute, 83, 87, 99-100, 222

Salamiel, 192
Salfaad, cinco filhas de, 172, 174-5, 196-7, 230
Salomão, rei, 18, 44, 62, 71-2, 74, 78, 80, 95, 97, 101, 103, 122, 124-6, 136, 205, 208, 232, 243
Samuel, 23, 75-6, 95-9, 101, 173, 221-3
Sand, Shlomo, 217
Sansão, 155-6, 228
Sara, 15, 46, 59, 62, 85, 88-9, 102, 117, 210

Saul, rei, 46, 75, 101, 125
Schneersohn-Mishkovsky, Zelda, 199-200, 231
Scholem, Gershom, 25, 227
Schwartz, Matthew B., 222
Scott, Walter, 146
Sedeur, 192
Séfora, 87, 91
Seinfeld, Jerry, 59
Selden, John, 173, 230
Sera, 193, 195-6
Shaham, Nathan, 229
Shakespeare, William, 20, 59, 146, 150
Shalev, Zeruya, 149, 227
Shalom de Belz, 115
Shamai, 27-8, 210
Shemer, Noemi, 125, 136, 226
Shimoni, Gideon, 229
Shylock, 59-60, 150, 151, 220, 227-8
Sifra, 86
Silberman, Neil Asher, 124-5, 218
Simão (talmudista), 106
Singer, Isaac Bashevis, 20, 47, 95, 114, 119, 224-5
Sísera, 87-8, 222
Slezkine, Yuri, 220
Smilansky, Yizhar (Samech Yizhar), 17-8
Sócrates, 28, 87, 221
Spinoza, Baruch, 26, 135-6, 158, 227
Steinsaltz, Adin, 131, 226
Stern, Selma, 116
Straus, Rahel Goitein, 116
Suar, 192
Surisadai, 192

Tamar (filha de Davi), 149
Tamar (nora de Judá), 88-9, 99, 117, 176, 210, 222

Tehom, 118-9, 225
Terza *ver* Salfaad, cinco filhas de
Tiamat, 118

Urias, 95

Varnhagen, Rahel, 113
Verbermacher, Hannah Rachel, 113, 117

Walzer, Michael, 12, 219
Weil, Jeanne Clémence, 95
Weil, Simone, 116
Wiesel, Elie, 208

Yalta, 108, 117, 223
Yanai, 225

Yehoshua, A. B., 12, 149
Yehuda ben Ezekiel, Rav *ver* Ben Ezekiel, Yehuda
Yehuda *ver* Judá
Yitzhaki, Shlomo *ver* Rashi
Yizhar, Samech *ver* Smilansky, Yizhar
Yohanan, Raban *ver* Ben Zakai, Yohanan
Yosef, Frecha Bar, 113
Yovel, Hanan, 231

Zacarias, 121, 177, 225, 230
Zelcer, Heshey, 231
Zelda *ver* Schneersohn-Mishkovsky, Zelda
Zuckermann, Ghil'ad, 218

1ª EDIÇÃO [2015] 5 reimpressões

ESTA OBRA FOI COMPOSTA PELA SPRESS EM MINION E IMPRESSA
EM OFSETE PELA GRÁFICA PAYM SOBRE PAPEL PÓLEN DA SUZANO S.A.
PARA A EDITORA SCHWARCZ EM OUTUBRO DE 2025

A marca FSC® é a garantia de que a madeira utilizada na fabricação do papel deste livro provém de florestas que foram gerenciadas de maneira ambientalmente correta, socialmente justa e economicamente viável, além de outras fontes de origem controlada.